CRIME & PRIVATE

анна
Данилова

ВЕДЬМА С ЗЕЛЕНЫМИ ГЛАЗАМИ

ЭКСМО
Москва
2015

УДК 821.161.1-312.4
ББК 84(2Рос=Рус)6-44
    Д18

Оформление серии художника *В. Щербакова*

Данилова, Анна Васильевна.
Д18   Ведьма с зелеными глазами : [роман] / Анна Данилова. — Москва : Эксмо, 2015. — 320 с. — (Crime & private).

ISBN 978-5-699-78300-7

Смерть Зоси Левандовской, местной знахарки, одела в траур всю деревню. Жители судачили, строили свои версии, поминали Зосю. В ее лесном домике также обнаружили труп молодой москвички Эммы Китаевой, успешной богатой женщины, владелицы кафе. Приехала к гадалке и нашла свою гибель... Преступник не оставил в доме ни одной улики, хотя все было перевернуто вверх дном. Что искал убийца? Ведь в доме и красть было нечего. К тому же все драгоценности Китаевой были на месте... Мотив убийства Левандовской и Китаевой пока не просматривается. И следователь Азаров все больше склонен полагать, что Китаеву зарезали как свидетельницу преступления — целью была именно местная ведьма Зося...

УДК 821.161.1-312.4
ББК 84(2Рос=Рус)6-44

ISBN 978-5-699-78300-7

1. Татьяна

Он устал, выдохся, рухнул на пол лицом вниз, его голая, покрытая, как у зверя, шерстью спина вызвала у Татьяны спазм в горле. Разгромив всю квартиру и не найдя маленького ребенка, сынишку, которого она предусмотрительно спрятала у сестры, ее муж-алкоголик Юрий принялся швырять в нее стулья, метать кухонные ножи, изрыгая при этом отвратительные, грязные ругательства.

В стену летели кастрюли с остатками супа и тушеной капусты, разбивались вдребезги последние уцелевшие после подобных ночных пьяных сцен бокалы и чашки, раскачивалась над его дурной головой шаровидная лампа, размазывая по кухне желтые световые блики и делая картину погрома еще ярче.

Схватив нож, первый, что попался под руку, Татьяна бросилась в прихожую за мужем. Эта мерзкая, мокрая спина обезумевшего и опасного животного, который считался ее мужем и отцом маленького Ванечки, была словно подставлена для удара.

Острый нож вошел в спину, как в масло. Животное исторгло странный звериный рык и успокоилось окончательно. Тело обмякло и завалилось набок, к стене.

Татьяна стояла и смотрела на мертвеющее на глазах тело мужа.

Вот и все! Не будет теперь ни пьяных драк, ни оскорблений, ни криков, ни летающих тарелок и ножей... Ванечка будет тихо посапывать у себя в кроватке, не боясь звериного рева своего обезумевшего от паленой водки папашки.

Все закончилось.

Татьяна перевела дух. Надо бы вызвать полицию, во всем признаться. Ее посадят, Ванечку возьмет к себе сестра Оксана, бездетная, обожающая племянника, зато Юры больше не будет. Никогда.

Татьяна зашла на кухню, оглядела все вокруг себя, тяжело вздохнула. Мысли потекли почему-то в очень странном, не подходящем к ситуации направлении: надо бы побелить потолки, покрасить стены, заменить кафель над раковиной...

Она намочила полотенце, подошла к мертвому телу и тщательно протерла рукоятку ножа, торчащего из раны.

Затем вернулась на кухню и, обернув руку полотенцем, подняла с пола нож, которым Юрий незадолго до смерти размахивал у нее перед носом, а потом и вовсе метнул в нее. Зажмурившись, она несколько раз полоснула этим ножом по своей руке, плечам, мол, это ей досталось от пьяного мужа.

Надежды на то, что эти несложные и нехитрые манипуляции спасут ее, практически не было. Но кто знает, как все повернется? В деревне все знают Татьяну как женщину кроткую, тихую, безропотную, терпеливо сносящую зверские побои мужа. Знают, что она боится мужа и поэтому до сих пор не обратилась в полицию с заявлением о побоях.

Да, боится, вернее боялась, а сейчас все кончено, и ей больше ничего не грозит. Тюрьма в этой ситуации казалась ей избавлением от по-настоящему смертельной угрозы. В тюрьме будут женщины. Возможно, такие же, как и она, убийцы своих мужей, и им будет о чем поговорить за кружкой горячего крепкого чая.

А Оксана, сестра, станет любить Ванечку как родного, вырастит его, как принца. Деньги у них есть, да и семья хорошая, добрая.

С необыкновенным чувством легкости и выполненного долга перед сыном (который мог погибнуть во время одной из таких пьяных выходок мужа) Татьяна, набросив на плечи старую шерстяную кофту, вышла из дома в ночь, в дождь и побежала к озеру, к лесу, где собиралась укрыться и прийти в себя у знахарки, гадалки и просто душевной и умной женщины, старой польки по имени Зося.

Казалось, Зося знала о жизни намного больше остальных, да и видела она, читала по глазам, облакам, воде, огню, свечам, земле и травам все то таинственное, недоступное обыкновенным людям, и это позволяло ей хотя бы немного заглянуть в будущее.

Никто не помнил, кода она поселилась в Панкратово, словно жила здесь вечно. Не знали, сколько ей лет, как забросило ее из Польши в Россию, есть ли у нее родные, близкие, была ли она замужем. Внешне Зося выглядела как потускневший портрет молодой красавицы с печальными глазами. Женщины говорили, что если снять с нее темную одежду до пят и пеструю косынку, под которой она прятала свои волосы (длинные и густые, как говорили случайные свидетели), то увидели бы молодую стройную женщину.

Однако движения ее были неторопливые, речь — тоже, что указывало все-таки на возраст.

Никто не знал, на какие средства живет Зося, потому что пенсию она не получала и не предпринимала ничего, чтобы ее оформить. Она собирала травы, варила барсучий жир, готовила разные настойки и каждое воскресенье ездила в город на рынок, где продавала все эти волшебные снадобья. На вырученные деньги она покупала самое необходимое — масло, сахар, соль, крупы, нитки, иголки, спицы, спирт...

Она гадала, лечила, наставляла женщин, учила жизни, и люди расплачивались с ней деньгами, продуктами. Чаще всего приносили молоко, мед, овощи, фрукты, овечью шерсть, из которой Зося вязала отличные узорчатые толстые носки, тоже на продажу.

...Трава была мокрая, высокая от обильных августовских дождей, подол юбки Татьяны быстро намок и теперь хлестал ее по щиколоткам. Она не бежала, а летела к Зосиному дому, черные очертания которого на темно-синем горизонте казались призрачными. Вот вроде бы он, дом, рукой можно дотянуться, но он словно отдалялся от нее, отступал в скрипучий, полный ночных звуков мокрый и холодный лес.

Татьяна выбилась из сил, хотела уже остановиться, чтобы перевести дух, как вдруг поняла, что стоит совсем рядом с домом, и стекло окна поблескивает перед самым лицом, как если бы убегавший дом теперь вернулся к ней.

— Зося?

Она подошла и заглянула в окно. Темно. Конечно. Глубокая ночь. Зося давно уже спит и видит свои таинственные цветные сны. Возможно, ей снятся размотанные наподобие шерстяных клубков чужие судьбы...

Татьяна обошла дом, взошла на крыльцо, и ей почудился в тишине голос. Женский. Как если бы кто-то внутри дома читал молитву. Монотонное звучание голоса, шум дождя, звуки постанывающего и охающего ночного леса — все это уже не пугало Татьяну, она знала, что вот сейчас постучит, разбудит Зосю, но та даже виду не подаст, что нарушили ее покой, вторглись к ней так поздно. Распахнет свою дверь, впустит Таню-убийцу, обнимет, усадит за стол и напоит горячим чаем с травами. И Таня ей во всем признается, испросит у нее совета, как быть, идти ли с повинной в полицию или спрятаться, затаиться?

Ей показалось, что молитва, доносящаяся из приоткрытого окна, незнакомая. Может, католическая, на родном Зосином польском, подумала Татьяна, имея самое смутное представление о существующих религиях, однако знающая откуда-то, что поляки — католики.

— Зося? — тихонько окликнула она ее в темное окно.

И тотчас молитва прекратилась. Стало очень тихо. Слышно было только дыхание леса, тишайшая дробь дождевых капель о крышу дома да уханье совы.

Татьяна впала в какое-то оцепенение, до нее только сейчас начал доходить смысл того, что она совершила, весь кошмар и ужас содеянного. Она убила человека. Решила его судьбу. Если в тот момент, когда она заносила нож над мужем, она предчувствовала какое-то вселенское облегчение, освобождение, то сейчас все страхи навалились на нее ледяной тяжестью, мешая дышать.

Она энергично постучала в дверь. Зося крепко спала.

Эти удары костяшек пальцев о дверь казались невероятно громкими, просто чудовищно громкими, раздражающими саму природу.

Татьяна прошла вдоль дома, повернула к саду и открыла дверь в хозяйственную пристройку, где Зося сушила свои травы и хранила на полках бутылки и банки со снадобьями. Там, Татьяна знала, был топчан с подушками, где дожидались своей очереди ее посетители, а то и ночевали, если беседа с Зосей уходила в ночь.

Отворив дверь, она вошла в темное прохладное помещение, где пахло травами и сухими цветами, яблоками и вином, нащупала выключатель, вспыхнул свет, и она увидела аккуратно застеленный топчан. Татьяна взбила подушку, выключила свет, легла, укрылась толстым шерстяным пледом и закрыла глаза.

Утро вечера мудренее — подумала она, проваливаясь в спасительный сон и с благодарностью воспринимая его сладость.

Она проснулась рано утром, когда все вокруг тонуло в тумане — даже стены дома казались призрачными, сотканными из плотного молочного воздуха.

Сердце Татьяны бухало в груди от полного и ясного осознания того, что она совершила накануне.

Подойдя к крыльцу, она поднялась на три ступеньки и постучала. Тишина. Тогда она толкнула дверь, и она подалась, отворилась, словно дом приглашал Татьяну войти.

— Зося?

Она вошла в темные сени, пахнущие яблоками и керосином, нащупала тяжелую дверь, открыла ее, прошла тихими шажками в дом, который хорошо знала, постоянно окликая хозяйку.

И куда она ушла спозаранку? Еще только половина седьмого!

Справа была дверь, ведущая в спальню. Татьяна тихонько приоткрыла ее и увидела в фиолетовых утренних сумерках разобранную кровать с лежащим человеком.

— Зося?

Она подошла ближе и от ужаса окаменела: на залитой кровью постели лежала девушка с ножом в груди.

Татьяна попятилась к двери, не поворачивая головы, нащупала рукой выключатель, вспыхнул свет, и картина, представшая перед ней, показалась еще страшнее, ярче.

Девушка была, без всякого сомнения, мертва. И это была, конечно, не Зося.

Татьяна от страха боялась пошевелиться. Ведь убийца мог еще оставаться в доме.

Окликать Зосю желание пропало.

Татьяна чуть слышно вышла из комнаты, добралась, едва дыша, до кухни и остановилась на пороге, потрясенная видом распростертого на полу тела.

Вот это уже была Зося. Рукоятка большого кухонного ножа торчала у нее из горла.

На бедной женщине была ночная сорочка, волосы ее были распущены, видно, в тот момент она готовилась ко сну.

В доме произошла настоящая кровавая бойня.

И как же это угораздило Татьяну, ночью заколовшую собственного мужа, оказаться в этом страшном месте, где было совершено еще два похожих убийства?

А может, ей все это просто снится?!

Со страшным криком она вылетела из дома и побежала, не разбирая дороги, в деревню...

Солнце золотыми теплыми лучами вспарывало туман...

2. Валентина

Она никогда не приезжала без предварительного звонка. Сначала позвонит, спросит, где Игорь, и только потом, узнав, что его нет дома, поднимется. Всегда с сумками, пакетами. Сама благотворительность. Легко быть такой, когда денег — куры не клюют. Когда человек открывает кафе или ресторан, всех интересует вопрос, откуда у них деньги. Просто не все спрашивают из-за стеснения, да и вообще это как-то неприлично. Но я вам расскажу. Откуда у моей двоюродной сестры Эммы столько денег. Понятное дело, что она не сама их заработала.

Во-первых, у нее есть родители. Правда, они давно не живут вместе, у каждого своя жизнь. Да взять хотя бы ее отца, моего родного дядю Петю. Петр Васильевич Китаев. Сногсшибательной красоты мужик, ничего, что ему за пятьдесят, выглядит он очень молодо. Весь такой холеный, одевается шикарно. Познакомился на какой-то выставке со вдовой известного художника-авангардиста Арчибальда Фрумина (Эмма зовет его Арчи), женщиной по имени Жени́ (на самом деле она когда-то наверняка была просто Женькой, Евгенией, но у людей искусства свои предпочтения и вывихи), женился на ней. А у нее денег — море, океан. А тут господин Китаев в своих белых костюмах, с роскошной, без единого седого волоса шевелюрой и синими глазами. Обаял Жени, окружил вниманием и заботой, вылечил, как говорят, от тяжелейшего гриппа, отпаивая ее малиновым чаем, да и остался у нее жить. И так Китаев понравился вдовушке, что она тотчас прибрала его, как бы одинокого (он был еще в браке с Эмминой матерью, тетей Сашей, хотя они и жили отдельно), к рукам и стала его женой. Развод Китаев и тетя Саша получили мгновенно, Жени расстаралась, пожили молодожены немного в Москве, а потом исчезли. Как оказалось, у Жени, точнее у ее знаменитого мужа-художника, в Мексике пустовала вилла на побережье, куда голубки и улетели. Поселились, никому не сообщив, даже близким друзьям. Хорошо, что никто не успел начать их официальные поиски. Китаев сам позвонил Эмме и сообщил ей, мол, у меня все хорошо, живем с Жени в Мексике. И чтобы дочка не возмущалась и чтобы ее вообще успокоить, Китаев помог ей купить это кафе. Прежний хозяин разорился, вернее, он сам виноват, вместо того чтобы вкладывать выручку в оборот, он пустился во все тяжкие — отправился путешествовать по миру, где только не был, даже, говорят, всерьез увлекся охотой на львов, вот как вскружили денежки голову! Ну а когда вернулся в Москву, долгов накопилось — выше крыши, вот он и продал свою кафешку-пирожковую за полцены.

Эмма, которая закончила журфак и работала внештатником сразу в трех изданиях, сначала растерялась. Но Китаев все-таки ее отец, а потому кое-что знал о своей дочери. Знал, что она когда-то мечтала открыть свой ресторан, да только это была на самом деле лишь мечта. А тут — готовое помещение, кругленький счет в банке (Жени, вдовушка, постаралась, я думаю) — работай — не хочу!

Вот так все и случилось. Засучив рукава, наша Эмма принялась ремонтировать кафе, придумала сама дизайн, нашла хорошего повара, кондитера, назвала свое детище в честь себя, любимой (особенно не заморачиваясь), — «Эмма», да и живет себе в удовольствие. И еще меня, свою двоюродную сестру учит жить.

Да, чуть не забыла. Раз уж мы копнули родословную моей сестрицы. У нее и мамаша тоже, Александра, отличилась. Бабе под пятьдесят, а она влюбилась в молодого парня, музыканта. Он такой ботаник-ботаник, вернее, пианист-пианист, тихий застенчивый молодой человек с печальными одухотворенными глазами. Наша Саша оплачивает ему мастер-классы, ездит с ним по миру, следит за его творчеством, во всем ему помогает, но, говорят, иногда отпускает поводок и дает ему вволю порезвиться. Так, к примеру, он без нее летал в Вену..

Вы спросите, откуда у нее денежки. Отвечу: тетя Саша — единственная наследница своего деда, известного писателя-эмигранта Ника Францева. У нее две квартиры в Париже, которые она сдает, кроме этого, получает какие-то денежки от переизданий.

Вот вам и Эмма!

Конечно, ей хорошо меня поучать, она одинокая, у нее нет своего мужика, думаю, она мне просто завидует, что я замужем, что Игорь у меня красивый, что у нас ребенок, семья. Я понимаю, ей всего двадцать восемь, и она могла бы устроить свою жизнь, однако... Кто знал, что все так получится?

Когда я видела ее в последний раз? Неделю тому назад.

Говорю же, она позвонила мне и сказала, что собирается ко мне заглянуть. Я сказала ей, что Игоря нет, что он поехал искать работу. Эмма сказала, что будет у меня через полчаса. Ну, я, конечно же, принялась прибираться в квартире. Сами знаете, когда маленький ребенок, трудно поддерживать порядок.

Полы пропылесосила, сварила кашу Мишке, моему годовалому сынишке, накормила его, да и уложила спать.

Села в кухне у окна — покурить. Не знаю почему, но я всегда нервничала перед приходом Эммы. Не знаю, как это объяснить. Может, я боялась ее вопросов? Она всегда задавала дурацкие вопросы, на которые у меня не находилось ответов. К примеру, как могла я позволить Игорю взять в кредит машину. Новую машину. В то время как у нас ипотека и надо выкупать квартиру. Ну, захотел Игорь машину, это мечта всей его жизни. Как я могу ему отказать? Ведь он — мой муж и отец моего ребенка! У нее-то, повторяю, мужа нет, поэтому она не понимает, как может муж договориться со своей женой, вернее, как он может уговорить ее.

Я, грешным делом, думала, что она завидует мне, что у меня Игорь есть. Муж у меня — видный, красивый, когда он домой возвращается, едва я только слышу звон ключей в прихожей, так меня в жар бросает. Вот какой у меня муж. Да выплатим мы этот кредит, он же время от времени где-то работает, какие-то деньги зарабатывает. Понятное дело, что иногда задерживаем с выплатой, и я вся на нервах, и сколько раз уже просила Эмму дать мне в долг хотя бы на месяц-другой, так она не дает! Сумки полные продуктов и памперсов прет, а вот деньги — никогда не дает. Воспитывает меня как бы. То есть с голоду не дает умереть.

Анна Данилова

Злилась ли я на нее? Честно? Не то слово! Я никак не могла понять, да и сейчас не понимаю... Не знаю, как поточнее выразиться. Вселенская несправедливость. Вот. Мы постоянно ищем в жизни какие-то закономерности, чтобы вывести формулу, одну, другую, чтобы знать или хотя бы предположить, что нас ожидает в будущем. И что нужно сделать, чтобы избежать ошибок. И все так поступают, ищут эти самые закономерности, но жизнь, вместо того чтобы следовать им, преподносит какие-то свои, неожиданные варианты. Я отвлеклась... Вселенская несправедливость. О ней кричат все неудачники мира. Одним, мол, ничего, другим — все. Причем эти, другие, везунчики, они ни за что не платят, просто живут в свое удовольствие. А мы, которых удача обошла стороной, откровенно завидуем им, мы ненавидим их и все ждем, что вот сейчас совершится какое-то чудо и наступит момент равновесия, что сейчас этот счастливчик где-нибудь поскользнется на ровном месте, упадет и разобьет себе голову. Или разорится. Или его ограбят. Или он утонет. Да-да, вы же хотели откровенности. Так вот. Ничего такого не происходит. Наоборот — это люди непотопляемые, и удача улыбается им отовсюду, как отражение солнца в окнах многоквартирного дома. Много-много солнц.

Вот и Эмма. Никто не знал, что будет с ее кафе. Но стоило ей его открыть, как уже в первый вечер там было полно посетителей. Между прочим, я помогала ей с открытием, привозила цветы, расставляла вазочки на столах, помогала на кухне, сворачивала и вставляла в кольца льняные салфетки...

Эмма тогда просто светилась от счастья, но и сильно нервничала. Она предполагала раз в неделю делать блюда разных народов. Вот на открытие была итальянская кухня, к примеру. И это при том, что в меню присутствовали и традиционные русские блюда, и, конечно, вкуснейшие пирожки с мясом. Забегая вперед, скажу, что эти пирожки потом будут покупать все жители нашего микрорайона домой, навынос. Вот так.

В тот день она пришла, я приняла из ее рук тяжелые сумки с продуктами, и мы с ней сели пить чай. Вернее, я-то пила кофе, а ей заварила зеленый чай. Она же у нас вся такая правильная, пьет только зеленый чай. Хотя нет, кофе тоже пьет. Но какая теперь разница...

Выглядела она в тот день очень хорошо. Она вообще-то очень хорошенькая, не красавица, но миленькая, у нее гладкая тонкая кожа, большие карие глаза, каштановые волосы, улыбка просто чудесная, а уж зубки! Понятное дело, следит за собой, а чего не следить-то, когда денежки водятся. Одевается хорошо. Просто, но дорого.

Разговора у нас не получилось. Я попросила у нее денег, сказала, что верну в скором времени, наврала, что Игорь практически уже договорился о работе. Но Эмма мне не поверила. Посмотрела мне в глаза и тихо так сказала: бросай ты его, Валя. Вот

Анна Данилова

разведешься — помогу. Даже квартиру выкуплю или вообще другую куплю. И буду помогать вам с Мишей.

Я смотрела на нее и не могла понять, в своем ли она уме. Зачем это мне, интересно, разводиться с мужем, с мужем, которого я люблю, который является отцом моего ребенка.

Я сказала ей: Эмма, ты бы взяла его к себе в кафе работать. Хоть кем! Он был бы под присмотром, то есть ты бы точно знала, сколько он получит, чтобы расплатиться с тобой. Но Эмма не хотела его брать к себе. И вообще испытывала к Игорю неприязненное чувство, вот. Просто не любила его, и все. Считала его бездельником, человеком несерьезным, с которым нельзя иметь дело. Никакое. И уж тем более быть его женой. Знаете, сейчас у меня какое-то двойственное чувство. С одной стороны, я откровенно рассказала вам о том, какую роль Эмма играла в нашей жизни, с другой — у меня в голове еще не уложилось, что ее больше нет в живых.

Да, это была наша последняя с ней встреча. Она считала, что поговорила со мной серьезно, что дала мне как бы пищу для размышления, но у меня после ее визита остался тяжелый осадок. Словно меня, взрослую женщину, причем достойную женщину, мать, окунули головой в унитаз. Да! Вроде она такая умная, и у нее все в порядке, и она знает, как жить и с кем, а я, получается, полная дура, потакаю желаниям своего мужа и нисколько не забочусь о будущем.

Она спросила меня, знаю ли я, откуда у моего Игоря деньги, которые он каждый месяц вносит за ипотеку. Я ответила, что он заработал. И он действительно их заработал, прокрутил сначала одно дельце, потом — другое. Кое-что перепродал, кажется, сливочное масло или постное... Где-то купил по дешевке, у какого-то фермера, а потом продал перекупщикам с рынка. Да какая разница, как он и чем заработал эти деньги, главное, что внес в банк, хоть и с опозданием.

Эмма еще так посмотрела на меня... Как бы это поточнее выразиться... Как на дуру. Я, понятное дело, разозлилась на нее. Что ей стоило дать мне денег в долг? Она еще пошла в спальню, посмотреть на спящего Мишу, замурлыкала что-то о том, что сама мечтает о такой же крошке. Откуда мне было знать, что я видела ее в последний раз? И что ее найдут мертвую, зарезанную как поросенка, в какой-то там деревне... И чего она туда поехала? Говорят, там же, неподалеку, нашли и ее машину... Какой кошмар!

Нет, вы не подумайте, я очень любила свою сестру, она была замечательная, добрая, умная. Вероятно, она действительно хотела помочь мне, от всего сердца, но просто невзлюбила моего Игоря. Но не могла же я из-за этого развестись с ним!

Представляю, сколько шума будет! Родители ее приедут, придется им на время забыть о своих райских кущах и заняться вплотную похоронами. Поминки наверняка устроят в ее кафе, напекут пирожков... Бррр... Не могу поверить, что ее убили. За

что? Кто? Я предполагаю, что ее убили как свидетельницу и что главное убийство — это убийство
этой гадалки, как вы сказали ее зовут? Зося. Имя-то
какое странное. Не русское.

Гадалка, травница... Да ведьма она была, вот и
все объяснение! Сделала кому-то гадость, вот люди
ей и отомстили. Может, запросила она дорого за
свои услуги. Денежки взяла, а работу не сделала.
Или наоборот — сделала. Порчу навела, люди узнали, приехали, да и зарезали ее. А тут моя Эмма...
Увидела такое дело, да и закричала, вот ее и убили...
Говорю же, как свидетельницу.

3. Мальчик Саша

Я не знаю, что еще нужно сделать, что предпринять и как себя вести, чтобы она поняла, как я к ней
отношусь. Вроде бы неглупая женщина, молодая,
понимает, что рядом с ней я, молодой парень, который просто пожирает ее глазами... Может, она
играет со мной? Кто знает, возможно, она получает
от этого удовольствие? Но говорю же, она не дура и
должна понимать, что я бы мог доставить ей другое
удовольствие, стоит ей только согласиться.

Она говорит мне: «Саша, ах, Саша, у меня проблемы...» — и Саша сразу же решает все эти проблемы. Да, она дает мне деньги, и я не могу не радоваться этому обстоятельству, потому как своих
денег у меня нет, я же учусь, студент.

Мне неприятно говорить об этом, но Марина,
похоже, любит своего мужа, Бориса. Злится на него,

когда долго не видит, хотя и понимает, что у него работа, что он должен зарабатывать деньги. Ну и ревнует, как водится.

Борис, ее муж, — архитектор. У него клиенты. Она радоваться должна, что есть заказы, проекты, что ее муж зарабатывает, а у нее мозги набекрень. Вместо того чтобы пребывать в хорошем расположении духа, заниматься собой и обратить внимание на меня, к примеру, она забила себе голову одной из его клиенток.

— Ее зовут Эмма, как Бовари, — сказала она мне как-то утром, когда я заглянул к ней на чашку кофе. Борис к тому времени уже уехал на работу. Она пила кофе с маленькими рогаликами и говорила о муже: — Я уверена, что он в нее влюблен.

— А вы ее видели? — робко спросил я, окуная свой рогалик с маком в кофе.

— Саша, ну что ты такое говоришь? — Она взмахнула руками, ее пеньюар распахнулся, и я увидел белую, с темным соском, грудь. Марина поспешила запахнуть пеньюар. — Нет, конечно! Просто я слышала, как он называл ее по имени. И решила, что женщина, носящая это роковое имя, не может быть какой-нибудь простушкой. Понятное дело, что она богата, раз сделала заказ в нашей фирме. И — свободна! Не замужем. И знаешь, почему я так решила? Да потому что она сама занимается строительством дома, а не ее муж. Вот если бы она была замужем, то всеми вопросами реконструкции занимался бы, повторяю, ее муж! А так, она сама позвала Бориса в деревню Сухово, где будет строиться ее дом. Да-да, он несколько раз повторил, что будет дожидаться ее там, в усадьбе. Уж не знаю, что там за усадьба такая. Возможно, так они называют между собой ее будущий дом. Так вот, об этой Эмме. Она богата, это я уже сказала. Одинока — нет мужика. И третье, не самое для меня приятное, — она не глупа. И вот завтра утром, в десять, они встречаются в Сухово, в усадьбе. Саша, ты должен меня туда отвезти.

Рассказывая все это, размышляя, она даже не смотрела на меня, как если бы я был ее водителем или, я не знаю, адвокатом, частным детективом или, на худой конец, братом! Она и не догадывалась, что я мысленно сорвал уже с нее этот блестящий шуршащий пеньюар, а ее, такую легкую, воздушную, пахнущую кофе и теплыми рогаликами, унес в спальню...

— Саша, ты слушаешь меня?

Я почувствовал, что краснею.

— Марина, я люблю вас, — сказал я, закрывая глаза от ужаса и восторга. — А вы разговариваете со мной, как с мальчиком на побегушках.

— Любишь?

Она вдруг с легкостью поднялась, приблизилась ко мне, наклонилась, волна длинных, пронизанных солнечными утренними лучами волос накрыла меня, и я обнял ее.

— Ты — маленький. — Она поцеловала меня и вернулась на свое место. — Ты еще совсем маленький. У тебя завтра сколько пар? Ты сумеешь отвезти меня в Сухово?

— Конечно.

— Вот и отлично!

Вот там, в Сухово, на развалинах старинной дворянской усадьбы среди колонн, я и увидел первый раз Эмму.

Разве мог я тогда предположить, чем закончится вся эта история?

Мы приехали в Сухово утром, в машине Марина то плакала, то истерично смеялась, словом, нервничала перед тем, как увидеть любовницу, как она полагала, своего мужа. Женщина по имени Эмма заняла все ее мысли и чувства. И чего только она, еще даже не видев Эмму, не совершила с ней. И избила, и исцарапала ей лицо, надавала пощечин, столкнула с обрыва, плеснула ей в лицо серной кислотой...

— Марина, да, может, она просто-напросто его клиентка, к которой он не испытывает ничего, кроме профессионального интереса, — пытался я урезонить Марину.

— Мой муж — очень темпераментный мужчина, уж можешь мне поверить, к тому же натура увлекающаяся, и никогда не пропустит ни одной юбки...

— Но он же на работе! Что же это получается, все мужчины, работающие с женщинами, непременно становятся их любовниками?

Признаюсь, я поддерживал этот разговор с присущей мне ленью и какой-то даже созерцательностью. «Мерседес» Марины, за рулем которого я с удовольствием представлял себя его хозяином, катил по загородному шоссе навстречу лесам и полям, маленьким озерцам и деревенькам, мостам и перекресткам, и все это я называл свободой, счастьем. Конечно, мне хотелось успокоить, урезонить Марину, чтобы потом, воспользовавшись моментом, в который уже раз признаться ей в любви, а позже дать ей возможность с моей помощью с наслаждением либо отомстить мужу-изменщику, либо, находясь в прекрасном расположении духа, просто слиться с природой, то есть отдаться, увидев, наконец, во мне охваченного страстью мужчину.

Вот странное дело, она была так уверена в том, что между ее мужем и этой Эммой существуют определенные отношения, как если бы действительно считала своего мужа бабником. Мне же господин Болотов представлялся весьма серьезным человеком, и, согласившись сопровождать его жену Марину в Сухово, я меньше всего ожидал увидеть обоих — Болотова и молодую женщину Эмму не в рабочей обстановке, а в декорациях веселого пикника.

Да-да, рядом со старой полуразрушенной дворянской усадьбой был расстелен уютный красный плед, на котором были разложены закуски и напитки.

Эмма, симпатичная шатенка в зеленом платье и широкополой соломенной шляпе, держала в руках кисть винограда, как раз в тот момент, когда Марина нацелила на нее свой бинокль.

Мы поставили свою машину в лесочке, в таком месте, откуда отлично просматривалась лужайка перед усадьбой.

— Сука! — прошептала, глотая слезы, Марина. — А ты все не верил! Вот, сам смотри, полюбуйся! Сидят, голубки! Был бы пистолет — пристрелила бы обоих.

Да-да. Она так и сказала. Честно говоря, у меня довольно богатое воображение, а потому я так хорошо себе это представил — палящую из пистолета Марину, лежащих вповалку, в крови, Болотова и эту несчастную Эмму, — что все мои желания по отношению к Марине, с которыми я в последнее время с трудом справлялся, отступили. Испарились. Больше скажу, я испугался, что Марина сошла с ума.

Вы можете спросить меня, что эта парочка делала, кроме того, что перекусывала. Так вот — ничего особенного. Они не обнимались, не целовались, а просто громко разговаривали, то и дело оглядываясь на облупленные стены усадьбы.

Конечно, будь на месте Эммы моя жена, к примеру, и застань я ее в подобной ситуации в обществе архитектора (или представителя другой про-

Анна Данилова

фессии), ни за что не усомнился бы в том, что они любовники. Но на своем месте, будучи просто сторонним наблюдателем, пусть даже свидетелем, я мог бы предположить все-таки два варианта их отношений: любовники или деловые партнеры.

Марина же видела в Эмме только соперницу.

Жаль, очень жаль, что так все получилось. Но я к этой истории не имею никакого отношения. Я просто свидетель. А уж каким образом Марина заманила несчастную Эмму в деревню Панкратово, к местной ведьме-польке, — это уже не мое дело. Со мной никто не советовался, в Панкратово я никого не возил, поэтому ничего конкретного по этому поводу сказать не могу. Могу лишь предположить, что Эмму Китаеву зарезала Марина, но доказательств у меня никаких нет.

Однако ее мог убить и кто-то другой, но поскольку я об этой женщине не знаю вообще ничего, то, стало быть, и других предположений у меня нет.

На вопрос, способна ли Марина совершить такое тяжкое преступление, ответить затрудняюсь. Я был всего лишь одним из ее знакомых, мы общались с ней постольку-поскольку. Не скрою, она мне нравилась, и я надеялся на определенные отношения, но эта история с Китаевой все испортила. Думаю, что на этом и знакомство наше закончится. А потому — я умываю руки.

4. Следователь Дмитрий Павлович Азаров

Какая мрачная деревня это Панкратово. Люди здесь как призраки умерших. Быть может, такое впечатление создается оттого, что над деревней вот уже сутки висит черная туча, из которой сыплет холодный, прямо-таки осенний дождь. И все леса вокруг кажутся синими, нереальными. Говорю же, мрачное место.

А дело трудное. Убита местная жительница — Зося Левандовская. Никто не помнит, когда она поселилась в этом лесном доме. Занималась врачеванием, гадала на картах и бобах, продавала травы и настойки, короче, обычная деревенская знахарка. Почти в каждой деревне есть такие женщины. Иногда их называют ведьмами.

Однако никто не сказал о ней дурного слова. Все ее любили. Даже местные мужики, которые покупали у нее какое-то снадобье для мужской силы.

Поговаривают, что некоторые даже захаживали к ней как к женщине, но имена при этом не назывались.

По паспорту выходит, то ей всего-то тридцать пять. Но одевалась она, как говорят люди, как старая женщина — длинные юбки, темные блузки, косынка на голове.

И чего волосы прятала? Роскошные темные волосы, без единого седого волоса. Эксперт, только взглянув на нее, сразу определил: ничем не болела и образ жизни вела здоровый. Конечно, многое расскажет экспертиза, но пока — вот так.

Зосю зарезали. Точное время смерти устанавливается.

Убили и свидетельницу, Эмму Петровну Китаеву, москвичку, двадцати восьми лет, которая приехала к ней, по всей вероятности, за советом или погадать. Она была убита в постели. Ее тоже зарезали.

Итого в деле имеются два обыкновенных кухонных ножа, принадлежащих, по словам свидетелей, Зосе Левандовской.

На одном из ножей при ближайшем рассмотрении можно увидеть зеленые пятна — следы от высохшего травяного сока. Вероятно, этим ножом хозяйка обрезала стебли растений. Может, полевых цветов, которые охапками стоят в простых вазах по всему дому. Или лекарственных растений.

Китаева приехала в Панкратово примерно в четыре часа, ее машину видели несколько человек, в том числе и пастух, который пасет деревенское стадо. Он рассказал, что сам лично видел, как машина въехала в пролесок и остановилась. Он слышал, как хлопнули двери, из чего сделал вывод, что находящиеся в машине люди пошли в лесной дом пешком, потому что на машине проехать по грязи было невозможно после дождей. Я переспросил его: хлопнули дверями или дверью, на что он ответил мне, что дверями. Два раза. Поэтому он решил, что в машине были двое.

Возможно, Зося сама встретила свою гостью где-нибудь на шоссе, села к ней в машину, чтобы показать дорогу к дому. Или же в машине был еще один человек, который либо и убил двух женщин, либо сбежал, испугавшись, что его втянут в это дело.

Никто не знает, пропало ли что из дома, хотя все было перевернуто вверх дном. Возможно, убийца что-то искал. Может, что-то конкретное, какую-то ценную вещь, ведь никто не знает, какие тайны могла хранить эта удивительная женщина. А может, искали деньги, которые у Зоси наверняка водились и которые она, по свидетельству местных жительниц, давала в долг. Ссужала деньгами тех, кто в этом остро нуждался, и никогда не брала никаких процентов. Да и суммы были небольшие.

Смерть этой женщины одела в траур всю деревню. Улицы опустели, бабы собирались у кого-нибудь дома, судачили, строили свои версии, предположения, плакали, поминали Зосю, мужики пили. Страх сгустился над деревней, люди боялись выйти из своих домов, понимая, что убийца не вычислен, не пойман, а значит, на свободе.

Женщина, Татьяна Ванеева, обнаружившая убитых, сама оказалась убийцей, то есть призналась в убийстве своего мужа-алкоголика. Говорила, икая от страха и дрожа всем своим тщедушным телом, что не помнит, как убивала, что пришла в себя уже после того, как увидела мужа с ножом в спине. Сказала, что он часто приходил пьяным, дебоширил, бил ее и ребенка, что она вынуждена была иногда прятаться у соседей.

Рассказала, что накануне отвела маленького сына к своей сестре Оксане, у них дом на другом краю села. И после того как она убила Юрия, она не могла оставаться в доме одна, ей надо было с кем-то поговорить, посоветоваться. Она надеялась, что Зося даст ей успокоительный отвар.

Ванееву арестовали, однако прокурор района, приехав на место и не успев во всем разобраться, решил подстраховаться, и в деле Ванеевой появились новые пункты: ее обвинили, помимо убийства мужа, еще и в убийстве двух женщин.

«Потом разберемся, а сейчас главное — начать действовать...» — сказал он, дыша на меня перегаром.

А мне-то что, пусть со своим следователем разбирается, на меня не надо давить, у меня свое начальство.

Он сильно пьет, этот Кузнецов, говорят, у него жена гуляет, причем чуть ли не открыто, и не с одним... Он все грозится ее пристрелить, но пока что просто пьет, дожидаясь ее возвращения домой. А она проводит время в Подмосковье, в каком-то поселке, где у нее живет брат, который ее и прикрывает. Короче, туманная история. Попахивающая кровью.

Убийца не оставил в доме ни одной улики. Я пригласил понятых — двух женщин, которые чаще других бывали в доме Левандовской. Они внимательно все осмотрели и подтвердили, что все вещи, банки-склянки, кофты, книги, травы и предметы быта принадлежали хозяйке. Что никогда не видели на ней ни золотых, ни других украшений. Что в доме по большому счету и красть-то было нечего.

То, что искали нечто принадлежащее именно Зосе, стало ясно после осмотра тела Китаевой. Она была раздета, лишь в майке, женщину нашли в постели, значит, она решила там остаться на ночь. Все драгоценности были на месте: золотые цепочка, браслет, два перстня.

Получалось, что убийца действительно искал что-то конкретное в доме Зоси, возможно, даже и не подозревая о том, что в маленькой темной спальне находится кто-то еще. И когда Китаева, разбуженная криками Зоси, как-то выдала свое присутствие, убили и ее. После этого убийца мог уже спокойно (относительно спокойно, конечно) осмотреть весь дом. Может, он и снял бы с Китаевой золото, да ему могла помешать Татьяна Ванеева. Потому что когда она пришла, женщины были убиты (иначе бы Зося открыла ей). Ванеева сказала, что слышала какую-то молитву, как ей показалось, на польском языке, и она решила, что это молится Зося, поэтому, постучав и не получив ответа, она пошла спать в пристройку. Проснувшись, вошла в дом (дверь оказалась не заперта) и вот тогда увидела двух убитых женщин.

Мотив убийства мужа был ясен и понятен, тем более что вся деревня подтверждала ее слова о том, что Юрий был алкоголиком и домашним тираном, и вообще опасным человеком. Возможно, убив своего мужа, Ванеева действительно спасла себе жизнь. А вот мотив убийства Левандовской и Китаевой пока что не просматривался. Вернее, он напрочь отсутствовал.

За одну ночь в деревне произошло три убийства! Конечно, прокуратуре удобно повесить все три на Ванееву. И они будут давить, давить, особенно на местного следователя, Евсеева, последуют звонки сверху, давай, мол, закрывай дело, добивайся от Ванеевой признательных показаний, чтобы она сознáлась во всех трех убийствах.

В деле имеются три ножа: два из них принадлежали убитой Левандовской, один — Ванеевой. Трудно представить себе ситуацию, при которой молодая женщина, мать маленького ребенка, идет на тройное убийство. Тем более что в убийстве мужа она сознáлась сразу же, как только полиция прибыла в лесной дом Зоси. Хотя, будь она похитрее, с преступной кровью в жилах, то свалила бы и убийство мужа на того, кто зарезал Зосю и Эмму. Вообще бы спряталась у сестры, которая бы, в свою очередь, подтвердила ее алиби, что, мол, Ванеева ночевала у нее в момент убийства, а потому никак не могла зарезать мужа.

Ладно, с Ванеевой все ясно.

Поступила информация о жертве — Эмме Китаевой. Двадцать восемь лет. Владелица кафе «Эмма», в районе Кузьминок. Не замужем. Родных братьев, сестер нет. Получается, что наследниками Китаевой являются ее родители: Китаевы Петр и Александра. Развелись несколько лет назад. Каждый живет своей жизнью. Китаев вообще проживает в Мексике, женат на богатой вдове художника Арчибальда Фрумина, Евгении. Александра Китаева сожительствует с молодым музыкантом, певцом, выступающим под псевдонимом Кай Снегов. Словом, родители Эммы Китаевой далеко не бедные люди.

Все больше и больше склонен предполагать, что Китаеву убили как свидетельницу убийства Левандовской.

Ладно, подождем результатов экспертизы.

И еще: мне показалось или на самом деле в доме Левандовской было как-то неестественно тепло, ведь на улице шел дождь... Было душно, очень душно...

Сегодня вечером буду ночевать в районном центре Луговское, недалеко от Панкратово, в доме Евсеева, следователя. Мы с ним быстро нашли общий язык, хороший мужик. Его жена только что позвонила ему, сказала, что накрыла стол в саду, курицу пожарила, пирог испекла.

Да, трудное дело, тяжелое, без ста граммов не разобраться.

5. Марина

Никогда не ревновала Бориса, думаю, потому, что он не давал мне повода. Да, безусловно, у него были клиентки, и он с ними куда-то выезжал, встречался, чтобы что-то обсудить, словом по работе. Но с этой Китаевой все было по-другому.

Во-первых, Борис терпеть не может магазинов, и редко когда в его карманах увидишь магазинный чек. А в тот день я нашла сразу несколько чеков, и все — из Елисеевского магазина. И хотя там написано «Алые паруса», поскольку они сотрудничают с этой фирмой, ценник из «Елисеевского» я узнаю. Конфеты, шоколад, швейцарский сыр, вино, фрукты... Вот такой джентльменский набор.

Я позвонила в контору Бориса, поговорила с его секретаршей Олей, и та сказала мне, что Борис получил новый заказ, очень интересный и выгодный, что их контора займется реставрацией старинной русской усадьбы в какой-то деревне, в Подмосковье. Что договор еще не подписан, но уже готов его проект. И что, если нужно, Оля может все уточнить.

Уточнила и выяснила, что клиент, заказчик — Китаева Эмма Петровна. Больше того, Оля ее видела, когда та приходила в контору, и даже напоила ее чаем.

— Оля, ты не знаешь, что Борис Константинович делал в Елисеевском магазине? Что ему там понадобилось?

Вопрос получился корявым, глупым, но Оля бодренько так прореагировала:

— Да не был он там, это я ездила, он мне даже машину давал. Сказал, чтобы я купила самые вкусные конфеты, деликатесы, словом, все, что может понравиться молодой женщине... Он сказал, что хочет угостить Китаеву. Я все купила, водитель поднял пакеты в кабинет, и я отдала Борису Константиновичу все чеки. Вот и вся история!

— Оля, он часто так делает, чтобы умаслить своих клиентов или клиенток?

— Нет, первый раз! — беззаботно прощебетала Оля. — Да, он попросил меня еще и букет отправить в какое-то кафе, вроде это ее кафе... Я не поняла. Просто выбрала красивые розы и оформила доставку по адресу улица такая-то, номер дома и название кафе «Эмма». Ну, это точно ее кафе, ведь клиентку зовут Эмма Китаева. Да вы не переживайте, Марина Владимировна, это все рабочие моменты, можете мне поверить. И извините, что встреваю не в свое дело...

Она как лезвием меня полоснула. Поняла, что я приревновала Бориса к этой Эмме. Ну а как же тут не приревнуешь, когда эти цветы, конфеты, вино...

Первая мысль была нехорошая. Отомстить. Переспать с Сашей. Он давно уже этого хочет, приходит ко мне, непонятно в каком качестве. Как-то раз просто увидел меня на улице, я шла из магазина, он увязался за мной, проводил прямо до квартиры, а потом сидел на лестнице пять часов! Впустить его в квартиру я не решилась, сказала ему через дверь, чтобы он убирался, что я замужем и все такое. Он пришел на следующий день, позвонил в дверь, и я увидела в глазок большой букет. И опять не открыла. Сказала ему, что не окрою, чтобы он не тратил напрасно свое время. Он приходил все снова и снова, правда, без букетов. Но с какими-то гамбургерами, колой, бутербродами, как если бы он выполнял чье-то поручение, следя за моей квартирой и время от времени перекусывая. Мальчик, студент, влюбившийся во взрослую женщину.

Шло время, соседи не могли не замечать его, и мне пришлось его впустить.

— Я скажу мужу, что ты — сын моей приятельницы, которая попросила меня подтянуть тебя по английскому, идет? — сказала я, угощая его чаем с пирожками. — Зачем ты приходишь ко мне? У меня есть муж, тебе это известно.

Он пожимал плечами и продолжал молча смотреть на меня.

Однажды он пришел, а у меня прихватило поясницу. И я, сама не ведая, что творю, понимая, что переступаю какую-то черту, которая делает меня в глазах этого мальчика женщиной, попросила его натереть меня мазью. Запах был такой, что всех святых выноси!

Потом я как-то попросила его сходить в магазин, затем отремонтировать кран в кухне, и пошло-поехало.

Бывало, что его не было несколько дней, я понимала, что он занят, что у него занятия в университете. Как-то увидела, что у него зимние ботинки прохудились, так я дала ему денег на новые.

Постепенно я выяснила, что он живет с матерью, которая работает воспитателем в детском саду. Что семья живет скромно. Когда мать приболела, я снова дала ему денег, а потом это стало системой. Суммы небольшие, они никак не могли отразиться на нашем бюджете, мне же было приятно заниматься такой вот благотворительностью.

С Борисом они практически никогда не пересекались, он возвращался домой поздно вечером, когда Саша уже был дома.

С наступлением весны мы с Сашей зачастили в Сокольники, потом стали выезжать на нашу почти заброшенную дачу, где он помогал мне приводить ее в порядок, красил забор, ремонтировал сантехнику, выполнял все мои поручения.

Еще одну черту я перешла, когда как-то оставила его ночевать на даче. Мы вместе с ним смотрели кино, я лежала на диване, а он сидел в моих ногах. И вдруг Саша снимает с меня теплые носки и начинает мне массировать пятки! Это было такое блаженство, что я вообще притворилась спящей!

Конечно, на подсознательном уровне я ожидала его дальнейших действий, выражения страсти, желания, но ничего такого не последовало. Я так подозреваю, что Саша ждал от меня какого-то знака, приглашения. Думаю, он очень боялся, что я разозлюсь и ему будет отказано от дома.

Согласна, отношения наши получились какими-то извращенческими, непонятными, в них было много недоговоренности и неудовлетворенных желаний, а уж с его стороны — настоящего унижения. Он же понимал, что я не вижу в нем мужчину, и это не могло его не унижать.

Еще в этот период жизни (а он продолжался почти восемь месяцев) меня мучил вопрос, почему мой муж, когда изредка видит его у нас дома, не обращает внимания на эти визиты, словно ему все равно. То есть ему и в голову, получается, не приходило, что Саша может быть моим любовником. Будто я слишком стара для него. Но у меня — ни морщинки, и тело мое — идеальное.

Да и Борис стал как-то остывать ко мне, я чувствовала, что надоела ему со своими упреками, что он мало уделяет мне внимания и все такое. Думаю, это болезнь всех семей, где мужья вынуждены проводить большую часть своего времени на работе.

Ну а потом появилась эта Эмма Китаева. Вот тогда-то я впервые почувствовала, что мой Борис увлекся другой женщиной. Теперь, говоря с кем-то по телефону, он выходил из комнаты, чтобы я не слышала разговора. История его звонков была всегда тщательно стерта. Интернет-страница телефонной компании, где я могла отследить все наши звонки, была заблокирована.

Мой Борис купил себе новую туалетную воду! Раньше это делала я, выбирала по своему вкусу. На этот раз, как я поняла, он купил то, что посоветовал ему продавец-консультант в парфюмерном магазине.

В шкафу в отделении с нижним бельем мужа я обнаружила упаковки с новыми трусами, носками, носовыми платками!

Борис сменил прическу и теперь не стригся так коротко, и его черные густые волосы красивой волной лежали на его голове.

И все эти перемны произошли буквально в несколько дней!

Вот тогда-то я и поделилась с Сашей, попросила его помочь мне разоблачить Бориса.

Эта поездка в Сухово... Меня всю колотило, когда мы подъезжали к тому месту, где неподалеку была припаркована машина моего мужа. Все перед глазами расплывалось. Я надеялась все же увидеть пусть даже и их двоих, но в какой-то деловой обстановке, что они, к примеру, будут осматривать площадку под строительство или эту самую усадьбу, спорить, наконец, раскладывать на траве или еще где план строительства, разглядывать наброски, даже орать друг на друга...

Но когда я увидела эту парочку, мирно греющуюся на солнышке и перекусывающую чем бог послал, вернее, тем, что закупила для них секретарша Оля в Елисеевском магазине...

Пикник — увеселительная прогулка на свежем воздухе. Увеселительная. Им было весело! Весело, в то время как я давилась слезами, сидя в машине и наблюдая за их счастьем.

А еще мне было безумно стыдно перед Сашей, который тоже все понял и чувствовал себя не очень-то комфортно. Быть может, он уже и пожалел, что согласился привезти меня в Сухово.

Китаева же была довольно привлекательной женщиной и какой-то необыкновенно свежей. В этом я могла признаться только себе. Возможно, все дело было в ее зеленом, каком-то недозрелом платье и в легкомысленной широкополой шляпе, которую она предусмотрительно надела, чтобы не позволить солнечным лучам обжечь нежную кожу лица.

Мой муж, мой Борис, смотрел на нее с обожанием. Когда она держала в руке кисть винограда примерно такого же цвета, как и ее платье, я пожалела, что у меня нет пистолета. С каким наслаждением я бы выстрелила в нее, не в Бориса, а именно в нее, в эту Китаеву, огромными пулями, чтобы размозжить ей голову, и чтобы все ее платье и виноград, и вообще все вокруг было забрызгано ее мозгами и кровью!!!

Если бы я выдала себя, вышла из машины и устроила скандал, то выглядела бы очень нелепо, смешно и унизительно.

Борис посмотрел бы на меня, стыдясь того, что у него такая глупая жена. Он спокойно заметил бы, что они работают, что они приехали в Сухово, чтобы обсудить детали планировки, к примеру.

Они на самом деле не целовались, не обнимались, зато как они роскошно смотрелись!

Мне трудно говорить сейчас за Китаеву, я понятия не имею, что это за человек и как она относилась к моему мужу, возможно, и она тоже увлеклась им, а может, видела в нем всего лишь архитектора, которого наняла для строительства дома.

Может, у нее был любимый муж или жених, любовник или она была одинока.

Конечно, уже очень скоро вся ее личная и деловая жизнь станет достоянием людей в погонах, следователей, прокуроров. Всплывут на поверхность ее любовь, ненависть, дружба, семейные отношения, бизнес. В ее грязном белье будут копаться профессионалы, выискивая мотив убийства. Выйдут на моего Бориса, а потом и на меня. Я сделаю большие удивленные глаза, скажу, что я вообще не знаю, кто такая Китаева, что мой муж — известный в Москве архитектор и что у него было много клиентов и клиенток, вернее, заказчиков. Не думаю, что они узнают о существовании Саши, что будут задавать ему вопросы. Ну а если уж и учинят допрос, то он будет молчать. Из уважения ко мне, да пусть даже ко всему тому хорошему, что он видел от меня.

Китаеву убили. В голове не укладывается. Скорее всего, это из-за денег. Я слышала, что она держала кафе. Ну, какие уж такие большие деньги она на этом зарабатывала? Это же не элитный ресторан. Надо бы съездить туда, посмотреть на это кафе. Просто так. Ради любопытства. И если выяснится, что ее доходы от кафе были скромными, то всплывет один и очень важный вопрос: откуда у нее деньги на реставрацию и ремонт усадьбы? Я узнавала у Оли: это был дорогостоящий проект. Очень.

Вот пусть следователь и копает в этом направлении. И нечего ему совать нос в личную жизнь Бориса. И уж тем более в нашу семью.

6. Следователь Дмитрий Павлович Азаров

Нора Кобленц.

Она пришла ко мне сама. Не дожидаясь, пока мы разыщем ее. О том, что Эмма готовилась к ее приезду, что подняла на уши все кафе, чтобы достойно встретить свою подругу-венгерку, знали все. Ведь это именно она, Нора Кобленц, в свое время научила Эмму готовить знаменитый венгерский паприкаш, ставший визитной карточкой скромного московского кафе в Кузьминках.

О дружбе Эммы с русской подругой Анной, удачно вышедшей замуж за венгра Миклоша Тота, знало все окружение Китаевой. Эмма часто летала в Венгрию, где проводила время с Анной и ее подругой, соседкой, немолодой уже женщиной по имени Нора Кобленц.

Миклош Тот — преуспевающий бизнесмен, ему принадлежит вилла «Чардаш» на Балатоне.

Об этом рассказала мне самая близкая, уже московская подруга Эммы — Катя Мертвая. Вот такая вот странная фамилия.

Она сказала, что супруги Тот проживают в Венгрии, в местечке Шиофок, родине Имре Кальмана. Вот в честь Кальмана дед и бабка Миклоша, построившие эту виллу-гостиницу (которую позже унаследовал Миклош, поскольку родителям принадлежат две другие гостиницы на берегу Балатона), и назвали «Чардаш». Однако, по словам Мертвой, Эмма, приезжая в Шиофок, всегда останавливалась в доме Тотов, предпочитая тишину и покой. Вокруг дома Тотов был разбит большой сад, который плавно переходил в сад соседей, как раз Норы Кобленц. Соседи дружили, ходили друг к другу в гости на барбекю, довольно часто Анна и Нора приезжали в Москву к Эмме. Анне было, как и Эмме, 28 лет, Норе — 52 года.

В кафе Нору хорошо знали, поскольку именно она давала там однажды своеобразный мастер-класс по приготовлению паприкаша.

Раз в неделю в кафе устраивали день национальной кухни разных стран: французская, итальянская, украинская, испанская... Однако венгерский паприкаш был всегда на первом месте в основном меню, и для этого блюда, готовившегося из белого мяса, фермерами поставлялись куры или телятина. Из Венгрии приходили посылки с упаковками сладкой паприки и пряностей.

За день до убийства Эмма предупредила своих работников в кафе, что ужинать они будут с Норой завтра в восемь вечера. Она распорядилась, чтобы поменяли шторы на окнах, заменили скатерти и поставили в вазы свежие цветы. Эмма была в прекрасном расположении духа, казалась счастливой, поговорила с персоналом и уехала по своим делам. Как теперь выяснилось, она отправилась в Панкратово и уже на следующее утро в кафе не явилась.

Катя Мертвая, которую я допрашивал вечером, спустя несколько часов после того, как были обнаружены тела убитых в Панкратово, сильно нервничая и стуча зубами, рассказывала, что ей хорошо известна женщина по имени Зося. Действительно, это известная гадалка, ее предсказания почти всегда сбывались, Эмма и раньше ездила к ней по своим, женским делам, хотела заглянуть в будущее. И она возила туда Анну Тот, когда та гостила у нее в Москве. Слышала она, что и Нора, собираясь к Эмме в гости, пожелала встретиться с Зосей, Катя узнала от Ани, что у Норы какие-то проблемы с мужчиной, с которым она встречается. Что он вроде бы охладел к ней, и что Зося может приготовить ей какое-то зелье, чтобы приворожить возлюбленного. Никакой тайны из этих визитов никто не делал, все четыре женщины, подруги — Эмма, Анна, Нора и Катя, при встрече делились друг с другом своими женскими проблемами, и поездки в Панкратово являлись как бы частью культурной программы. Это было мнение Кати.

Узнав о смерти Эммы, в Москву собиралась прилететь и Анна.

Нора же, как я уже сказал, объявилась сама. Просто открыла дверь моего кабинета и вошла, прижимая комочек носового платка к своим губам. Глаза ее были заплаканы.

Это была высокая интересная моложавая брюнетка с конским хвостом, одетая в тонкие кремовые джинсы и белую батистовую рубашку мужского покроя. На ее загорелом худощавом теле было множество серебряных цепочек, браслетов... сережки, перстни... Она вся позвякивала серебром, усаживаясь напротив меня с видом человека, готового к долгому разговору.

— Вы Азаров?

Она довольно сносно говорила на русском, правда, с сильным акцентом, что делало ее еще интереснее. Я знал, что ей пятьдесят два, но выглядела она едва на сорок.

— Вы неплохо говорите по-русски, — сказал я.

— Я в университете учила русский. Послушайте, погибла моя подруга. Она не приехала меня встречать. Я прождала в Домодедово очень долго, все высматривала ее в толпе... Телефон ее не отвечал. Я подумала, что она просто сильно занята или, может, у врача. Я не знала, что и думать. Знаю, что она ждала меня, готовилась... Не скрою, что она обещала отвезти меня к этой бабе Зосе, мне Аня много рассказывала об этой женщине... И сейчас я чувствую себя виноватой, понимаете? Думаю, что Эмма поехала в Панкратово специально для того, чтобы договориться с Зосей, чтобы та меня приняла. Ведь у Зоси нет телефона, поэтому с ней невозможно предварительно договориться.

— Постойте, когда вы прилетели в Москву?

— Вчера! В три часа дня. Прождала ее до шести часов, я ждала, что она вот-вот подъедет... Да еще и таксистов боюсь, мне такого понарассказывали, да и телевидение русское я тоже смотрю... Я хотела дождаться Эмму, понимала, что она не приедет меня встретить, только если действительно что-то случилось. К тому же я слышала, какие в Москве пробки... Вот поэтому я и ждала ее так долго.

— Не дождались, и что? Поехали к ней?

— Да, я приехала, но мне никто не открыл. Хорошо, что я догадалась попросить таксиста подождать меня возле дома... Он понравился мне, такой симпатичный мужчина и не болтает много... Ну, я вышла из дома расстроенная и попросила отвезти меня в кафе Эммы, подумала, что она может быть там.

— В кафе на такси?

— Конечно, я могла бы дойти и пешком, просто у меня был багаж. Я вошла в кафе, спросила, где Эмма, и администратор Василиса Прекрасная...

— Кто-кто?

— Администратора зовут Василиса, но Эмма называет ее Василисой Прекрасной... — устало улыбнулась Нора. — Так вот, Василиса очень удивилась, когда увидела меня с чемоданами, сумками... Ну, мы поговорили и поняли, что с Эммой что-то случилось... Василиса стала обзванивать больницы, официантки тоже подключились... Мне стало нехорошо, я сказала, что с дороги, что на ногах не стою и что мне надо в какую-нибудь гостиницу... Василиса сказала, что в их районе ничего приличного нет, предложила мне остановиться у нее, но я не собиралась никого обременять... Когда мы еще не были знакомы с Эммой, я всегда, бывая в Москве, останавливалась в «Савое»... Таксисты знают. Понимаете, я была уверена, что с Эммой произошло просто какое-то недоразумение, что она в скором времени появится... Василиса вызвала мне такси, и я приехала в «Савой», где и поселилась. Мне надо было принять душ и отдохнуть. Я заказала себе ужин в номер и после этого провалилась в сон... Проснулась от звонка Василисы, она рыдала в трубку, рассказала о несчастье, которое произошло с Эммой, сказала, что Катя поехала в Панкратово... Можете себе представить, что я испытала, услышав о Панкратове! Я сразу поняла, что Эмма поехала туда ради меня, я уже говорила... И вот чем все кончилось! Как я расскажу об этом Ане?

Катю Мертвую я вызвал сам. Вычислил ее из списка номеров телефона Эммы, дорогого мобильного телефона, который мы обнаружили в ее сумке, в доме Зоси. Телефон был отключен, и когда я его включил, посыпались эсэмэски, оповещавшие о большом количестве пропущенных вызовов, среди которых большинство звонков было, конечно же, от прилетевшей из Будапешта Норы (что подтвердило озвученную госпожой Кобленц хронологию событий первых часов ее московской жизни).

Катя была второй из наиболее активных абонентов Эммы.

Это я сообщил ей о смерти ее подруги и вызвал на допрос.

Катя, обыкновенная, ничем не примечательная девушка с русыми длинными волосами и серыми глазами, в джинсах и майке, появилась передо мной с опухшим от слез лицом и сразу же бросилась убеждать меня, что это ошибка. Что Эмма не могла быть в Панкратово, что она должна была дожидаться приезда своей подруги Норы из Венгрии...

Я видел, что она цепляется за последнюю надежду на то, что Эмма еще жива.

Мне пришлось показать ей снимки с места преступления, чтобы доказать ей, что Эммы больше нет.

— Кем вы приходились Эмме Китаевой?

— Я ее подруга, можно сказать, близкая подруга, — шмыгая носом, отвечала Катя. — Неужели она отправилась в Панкратово, чтобы договориться с Зосей о Норе? Она так хотела ей угодить, сделать ей приятное! Боже мой, вы и представить себе не можете, каким человеком была Эмма! Ну почему Бог прибирает таких замечательных людей? Почему?

Она плакала с подвыванием, стонами и причитаниями. Видно было, как она горюет.

И вдруг в какой-то момент она вдруг подняла голову, посмотрела на меня отстраненным взглядом и проговорила:

— Я тут знаете что подумала? Что она поехала к Зосе не только из-за Норы. Она ей очень верила, понимаете? Нет, конечно, она и Нору тоже любила, но даже если предположить, что с Зосей у нее не было предварительной договоренности и они бы с Норой приехали к Зосе неожиданно, нагрянули бы, как это делают все, кто к ней приезжает, то ничего страшного не произошло бы! Ну, подождали бы они, у Зоси есть комнаты, где можно было бы переночевать. Да Норе это было бы интересно, она же любит все необычное, экзотическое... У Зоси дом стоит прямо в лесу, там все такое старинное, полно сушеной травы, цветов, разные склянки, утварь, вышитые полотенца... Считай, что побывала бы в музее. Нет, тут дело не только в Норе...

И Катя снова разрыдалась. Мне пришлось дать ей воды и даже успокаивать ее. Я и сам не понял, как оказался рядом с ней и обнял ее за плечи. Плечи были холодными. Катя Мертвая — ну и фамилия!

Однако она была живая, слава богу, и очень эмоциональная.

— Катя, что вы хотите этим сказать? Вы сказали, что дело не только в Норе...

— Понимаете, — сказала она, немного успокоившись и взяв меня за руку, я к тому времени присел на стул рядом с ней. — Ей самой нужно было к Зосе. В ее жизни произошли кое-какие перемены... Не знаю даже, как и сказать. Не уверена, что это может помочь следствию. Но все же расскажу, чтобы вы хотя бы поняли, что она отправилась в Панкратово не только ради Норы. Она влюбилась. В мужчину. Он — женат. О, кстати! Да-да, он же женат! Думаю, что Эмма хотела посоветоваться с Зосей, может ли она надеяться на развитие этих отношений или нет.

— Вы знаете, кто это? Имя, фамилия?

— Да, конечно. Его зовут Борис Константинович Болотов, он архитектор.

В списке телефонных адресатов Китаевой действительно был «Борис Б.».

— Вы знаете номер его телефона?

— Нет, нет... У меня не может быть номера его телефона. Она сама встречалась с ним, разговаривала...

— Не понял... У них были дела?

— Да, он готовил проект реконструкции одной старинной усадьбы, — неуверенным тоном проговорила Катя. — Это в Сухово... Это была Эммина мечта...

— Эмма хотела отремонтировать усадьбу?

— Да, говорю же, это была ее мечта!

— Они были любовниками с этим архитектором?

— Думаю, они просто не успели ими стать, слишком мало времени прошло. Хотя точно сказать не могу. Они были знакомы от силы две недели. И Эмма влюбилась в него. Я видела Болотова, он очень красивый мужчина. Просто сказка. Но, как я уже сказала, женат. Детей, правда, нет, мне Эмма говорила. Потому-то она и надеялась, что Борис будет ее... Думаю, она за этим и поехала к Зосе, чтобы понять, как бы это сказать... степень греха, что ли, оценить, понимаете? Просто я знаю Эмму, если бы у Болотова были дети, то она не стала бы отвечать на его чувства.

— У него тоже были чувства к Эмме?

— О да! Судя по рассказам Эммы, он влюбился в нее с первого раза. Человек очень серьезный, владелец собственного архитектурного бюро, Болотов, встречаясь с ней по поводу проекта, нес какую-то чепуху, сильно волновался, приглашал ее в кафе, дарил какие-то милые вещицы, а когда они договорились поехать в Сухово, уже на место, устроил ей настоящий пикник! Эмма тоже тщательно готовилась к этой поездке. Обычно одетая по-деловому, в тот раз она надела новое зеленое платье и соломенную шляпу. Она призналась мне, что когда она думает о Болотове, ей жить хочется... Он очень, очень нравился ей.

Да-да, думаю, все так оно и было. Эмма понимала, что когда они приедут к Зосе вместе с Норой, то все внимание будет уделено Норе. Вот поэтому она и решила поехать в Панкратово на день раньше, чтобы Зося позанималась с ней, а заодно договориться о визите Норы. Вот это больше похоже на предусмотрительную и очень ответственную Эмму.

Вот ведь судьба! Надо же было ей оказаться в этом доме как раз в ту ночь, когда на Зосю напали!

— Скажите, Катя, вы действительно полагаете, что убийца приходил по Зосину душу? Вы не допускаете, что целью была Эмма?

— Нет-нет! Это совершенно исключено! — замахала руками Катя. — Даже не тратьте попусту время! Я не понимаю этих ваших дел, ведь убийство произошло в Панкратово, а там есть свой следователь... Но прошу вас, помогите ему разыскать убийцу Зоси, ведь он убил нашу Эмму. Как свидетеля. Получается, что она сама поехала в Панкратово, чтобы решилась ее судьба... Господи, да за что же ей все это?!

— А что, если это жена Болотова решила ее убить? — осторожно предположил я.

— Мысль, конечно, интересная, но откуда ей знать про Зосю?

— Вообще-то я наводил справки, Зося — известная личность. Возможно, что и Болотова знала о ней... Другое дело, трудно предположить, что она следила за Эммой... — принялся я рассуждать вслух, напрочь забыв, что нахожусь рядом со свидетельницей. — Да, вот еще что! В сумочке вашей подруги Эммы мы обнаружили ключи от ее квартиры, во всяком случае, мы так полагаем. Я хочу, чтобы вы поехали туда вместе со мной, чтобы определить, не пропало ли чего оттуда, понимаете, о чем я?

— Да, конечно, я помогу вам. Я часто бывала у нее дома и знаю там практически все, каждую мелочь. И давайте сравним ключи, возможно, они не от квартиры, а от кафе или склада... Просто не хотелось бы, чтобы вы ломали дверь.

В это самое время Кате позвонили.

— Аня?! Дорогая! Ты вылетаешь? Хорошо, я тебя встречу, я все записала... Разве могли мы предположить, что встретимся по такому скорбному случаю... Я приеду в аэропорт! Дождись меня! Думаю, что я все успею, у меня в запасе целых пять часов! Пока, моя дорогая!

И она снова заплакала.

Я понял, что в Москву вылетает Анна Тот. Еще один свидетель.

7. Лиля Лялина

Мы встретились с Вероникой в кафе, на Арбате. Когда я собиралась на встречу, мысленно рассказала ей все-все, что произошло со мной за последнее время. И не то чтобы это были какие-то важные события, нет, так, обыкновенное, я бы даже сказала, плавное течение жизни. Но моей жизни. И мне хотелось, чтобы она взглянула на мою жизнь как бы со стороны. Может, посоветовала бы что-нибудь, подкорректировала. Вероника — она очень умная, с ней легко, знаешь, что она всегда все поймет и подскажет. Она каким-то волшебным образом направляет твои мысли по другому руслу, по совершенно неожиданному, и ты начинаешь воспринимать какие-то вещи, события по-другому. Конечно, все это очень сложно, но и просто, с другой стороны.

Некоторые, взглянув на мою жизнь, скажут, что я просто с жиру бешусь. И все дело в том, что у меня все хорошо, по большому счету. Во-первых, у меня хороший муж, и мы любим друг друга. Еще у меня уникальная профессия, вернее, профессия-то у меня обыкновенная, я переводчик, но мой муж Захар помог мне с открытием собственного бюро переводов, и теперь у меня на Лубянке, в одном из тихих и уютных зеленых дворов, есть свое помещение, офис, и там все такое красивое, с коврами и картинами... И девочки у меня работают все как на подбор умные, интеллигентные и очень талантливые.

Я так все организовала, что могу в принципе и не показываться на работе. Но я, конечно же, хожу на работу, перевожу какие-то статьи, но в основном контролирую работу бюро, занимаюсь с бухгалтером, слежу, чтобы у меня было все в порядке.

Я очень люблю Веронику. Я вообще от нее в восторге. Вероника — это огонь, решительность, риск, напор, ураган, сметающий все на своем пути... Она яркая, взрывная, шумная, громкая и ничего не боится. Я же — ее полная противоположность. Если Вероника — огонь, то я — тихое прозрачное озеро.

Я очень спокойна, рассудительна, боюсь ответственности, чрезмерно осторожна, нерешительна, всегда и за все переживаю, не умею самостоятельно принимать решения. Быть может, поэтому боготворю своего мужа, который просто ведет меня по жизни, помогая мне преодолевать трудности. Да что там — Захар ходит со мной даже к зубному!

Единственное, на что я способна без его помощи, — это путешествовать. Я знаю, что муж занят, поэтому спокойно покупаю себе в соседнем турбюро путевки и отправляюсь одна, куда мне захочется. В этом плане я как наркоман. Меня не утомляют ни перелеты, ни долгие поездки, ни экскурсии, я открыта всему новому, я живу этим, я без этого уже не могу.

Все свои впечатления я записываю в дневник, который храню в одной папке на рабочем столе компьютера. Туда же, между кусками текста вставляю фотографии. Быть может, когда наши дети подрастут (пока они еще только в проекте), я покажу им, где была, что видела, поделюсь своими впечатлениями.

Дети... Честно говоря, я просто не могу забеременеть. Вроде бы здорова, да и Захар тоже. Не знаю, что с нами, но пока бог нам деток не дал. Не могу сказать, что я отчаялась, нет, я еще молода, и у нас есть время. Да только иногда мне становится как-то не по себе, я начинаю ощущать себя уродом, инвалидом, женщиной-пустышкой, и все эти чувства собственной ущербности захлестывают меня, как морская волна, и в такие минуты мне хочется с кем-нибудь поговорить об этом, выговориться, но только не с подругой, а с кем-то посторонним, с человеком, который или сталкивался с подобной проблемой, или обладающим даром предвидения. Я говорю о гадалках. О тех странных женщинах, ярко накрашенных и вызывающе одетых, говорящих на тарабарском языке непонятные вещи, глядящих в стеклянные шары, зажигающих свечи, раскладывающих карты и, таким образом, приоткрывающих перед запутавшимися в собственных проблемах людьми будущее.

Я знаю, что все они, в большинстве своем, шарлатанки, мошенницы, актрисы, зарабатывающие себе на хлеб с маслом тем, что говорят людям то, что те хотели бы услышать. Но они нужны, и я хожу к ним, даю себя обманывать, плачу им деньги, чтобы хотя бы несколько слов услышать о себе, о своем бесплодии, о том, что я не бесплодна, что мне нужно просто подождать немного, и я обязательно забеременею.

Эти женщины-экстрасенсы обитают повсюду, и в Москве их много, достаточно взглянуть на объявления в газетах.

Но есть такие, о которых узнают не из газет. Это — настоящие волшебницы. Одна из них живет в Панкратово...

— Лилечка, какая ты воздушная, красивая, как стрекоза! — Вероника обняла меня, мы сели и заказали кофе. Приближался вечер, Арбат бурлил прохожими, звучал музыкой уличных музыкантов, голосами поэтов, декламирующих свои стихи, пестрел сувенирными лавками, выставленными на продажу картинами, витринами магазинов и ресторанов. Солнце в тот вечер окрасило все вокруг в золотисто-янтарные тона.

«Воздушная, красивая, как стрекоза!» Стрекоза — это потому что на мне было полупрозрачное платье с короткой пышной юбкой. Я в этом наряде походила скорее на рано повзрослевшую девочку, не успевшую переодеться во все взрослое, чем на женщину. Но мне нравилось это платье, я знала, что эта легкомысленная, похожая на пачку балерины юбка подчеркивает стройность моих ног и что все мужчины разглядывают меня. И что Вероника тоже обратит внимание на мой наряд. Словом, я сама напрашивалась на комплимент.

— Вообще-то никакая ты не стрекоза, а скорее лягушка-путешественница! Ты снова куда-то ездила? Летала? Где ты была, признавайся?! — Вероника, в красном платье, едва прикрывающем колени, в красных коралловых бусах, браслете и сережках, с пунцовыми губами, благоухала, как красная роза.

— Добрый день, я из Парижа, где шампанским пахнут крыши... — засмеялась я, вспоминая, как мы когда-то пытались сочинять стихи про Париж. Две девочки-дурочки. — Сегодня прилетела.

— И как он тебе?

— Хотела бы купить там квартиру, небольшую, знаешь, студию... И вот тогда бы я могла сказать сама себе: это мой город. Понимаешь?

— Конечно, понимаю. Мне показалось, когда мы с тобой говорили по телефону, что ты хочешь мне что-то рассказать.

— Да нет... Просто хотелось увидеться. Расспросить, как у тебя дела. Что нового?

— У меня работа, бизнес, переговоры, деловые обеды, а ужинаю я одна, дома, в обществе своего кота Барсика. Что-то в последнее время мне попадаются очень странные мужчины. Красивые, но бестолковые, безработные, ну и все такое. А я ищу сильного, умного, вот как твой Захар, к примеру...

Она часто дразнила меня, пытаясь вызвать во мне ревность. И я, зная о том, что она делает это намеренно, злилась.

— Вероника!

— Все-все, не буду! Так что у вас произошло?

— Понимаешь, Захар вчера возвращался домой, а возле подъезда случилась драка... С одной стороны, я понимаю, что он сделал правильно, что защитил парня от двух бугаев... Но с другой — они же могли его самого покалечить, понимаешь? Или даже убить! Вот как он не побоялся? Почему не подумал обо мне? Каково мне будет, если он станет инвалидом или вообще... Ну, ты меня поняла...

— Ответа на этот вопрос не знает никто. Понятное дело, что проще всего пройти мимо и сделать вид, что ты ничего не заметил, что тебя это не касается. Но что, если в такую же ситуацию попадет кто-нибудь из твоих близких людей? И тогда ты будешь возмущаться, что никто не вступился...

Я слушала ее, испытывая при этом стыд за то, что эту историю я выдумала, пока ехала к ней на встречу. Что на самом деле ничего такого не случилось. Просто мне хотелось услышать ее рассуждения о безразличии и небезразличии людей. Мне надо было разобраться в себе, какая я — страус или нет. И всегда ли надо быть неравнодушным к чужой беде? Или просто быть неравнодушным.

Я ехала к Веронике, чтобы задать ей один вопрос, но так и не решалась. Я слушала ее рассуждения о том, как рискованно встревать в чужие ссоры и драки, хотя ничего нового она мне рассказать не могла. Я же не ребенок и сама все понимаю.

«Вероника, я стала случайным свидетелем одного разговора!» Вот так я планировала начать свой разговор с ней.

«Помнишь, мы с тобой ездили в Панкратово, к Зосе?»

Да, конечно, она вспомнит. И что?

«*А то, что человек в шаге от меня произнес по телефону: «В Панкратово идет дождь. Полька и русская
улетели. Все идет по плану. А я остаюсь в Москве,
буду работать»*.

Вроде бы какая-то абракадабра. Как шифр. Но,
с другой стороны, в вечерних новостях сообщили
об убийстве Зоси в Панкратово. Вернее даже,
о двойном убийстве. И этот человек сказал, что все
идет по плану.

Между тем Вероника затеяла разговор о совместной поездке в Барселону. Я отвечала ей машинально, какие-то дежурные фразы, в то время как мне
хотелось спросить ее: мне идти в полицию или нет?
Оставаться ли мне в стороне от этих убийств или же
попытаться помочь следствию? А вдруг эта информация очень важна?

Вероника — она точно не равнодушный человек.
И я с уверенностью могу сказать, что она отправила
бы меня в полицию и даже вызвалась бы сопровождать меня. Эмоциональная, она всплакнула бы,
вспомнив Зосю, чудесную женщину, которая с уверенностью сказала мне, что у меня будет девочка,
а Веронике предсказала счастливый брак (правда,
со своим дальним родственником). Старый, с темными стенами дом в лесу, где нас принимала эта
женщина, казался нам тогда чуть ли не дворцом,
настолько хорошо нас там приняли, угощали

какими-то лепешками с маслом, сладким чаем на травах. Мы были там счастливы, рядом с Зосей, и полны надежд. И вот теперь ее убили.

Время шло, мы заказали семгу, болтали ни о чем, и я так и не решилась рассказать ей даже о смерти Зоси. Побоялась, что не выдержу и проговорюсь, расскажу о том, свидетельницей какого разговора я оказалась.

И вот, наконец, когда дежурные темы были исчерпаны, Вероника каким-то очень уж обычным тоном сказала, что вчера к ней нагрянул гость. Из Санкт-Петербурга. Сын подруги ее матери или что-то в этом роде, режиссер, он будет ставить спектакль в каком-то молодежном театре, что он очень талантлив (по словам матери, которая с опозданием предупредила ее о его приезде), что в быту он неприхотлив, очень культурный, выносит мусор, моет после себя чашки и заправляет постель, а еще что он веселый, по ночам не спит, а смотрит какие-то мультфильмы и что он вообще очень позитивный человек.

— А почему он не остановился в гостинице? — поинтересовалась я просто так, чтобы поддержать разговор. Я вообще вела себя в тот раз неестественно, потому что моя голова и душа были заняты более серьезными вещами.

— Вообще-то он остановился в гостинице, — каким-то извиняющимся тоном проговорила Вероника, разглядывая лимон на розовой семге в своей тарелке, — а ко мне зашел, чтобы передать пакет от мамы, там — шарф, который она связала мне к зиме, коробка домашнего печенья, ну и по мелочи... Словом, мы выпили чаю, он показался мне довольно приличным молодым человеком, ну я и предложила ему пожить у меня... Как бы сэкономить на гостинице, понимаешь?

Она подняла голову, и я увидела, как покраснело ее лицо.

— Ну и правильно, — спохватилась я, догадавшись, что Вероника ждет от меня реакции. — Раз приятный человек, да к тому же рекомендован как бы твоей мамой, почему бы не помочь ему, тем более режиссеру... Гостиница — это дорого.

— Лиля, да при чем здесь деньги?

— А что? Он понравился тебе? — обрадовалась я возможности услышать подробности зарождающегося романа.

— Уф, Лилька... И что только у тебя в голове? Просто у меня в доме какое-то время, несколько месяцев, будет жить мужчина. Может, кран починит или полку прибьет... Да и вообще, мне будет не так страшно ночевать одной... Знаешь, иногда в нашем доме по ночам раздаются такие странные звуки... Как будто кто-то скребется в дверь или завывает...

И мы с ней расхохотались!

— Ладно, Лилечка, — сказала она мне перед тем, как мы с ней распрощались, — мне надо еще успеть приготовить ужин. Я вчера купила баранину, сегодня накручу котлет, на гарнир рис отварю, помидоры порежу... Вино у меня есть...

— Вероника, я так за тебя рада, — сказала я ей искренне. Хотела подобрать еще несколько слов, чтобы выразить свою радость по поводу появления в ее жизни мужчины, а заодно и объекта заботы, всего того, чего ей так не хватало как женщине, но ничего не сказала. Подумала, что это может прозвучать как-то искусственно. Нерешительность всегда была моей второй натурой.

— Знаешь, если бы ты его увидела, то он понравился бы тебе непременно. Он вообще не может не понравиться. Очень хотелось бы тебе пообещать, что приглашу вас с Захаром к себе в гости, чтобы познакомить с Сергеем, но боюсь сглазить, сама себя боюсь... Не будем торопить события, да? Постой, Лиля, мы тут все о пустяках разных болтали. И я не успела спросить тебя о самом главном: как у вас с Захаром дела? Ты не беременна? Я почему-то надеялась, что ты захотела со мной встретиться, чтобы рассказать что-то важное.

Я пожала плечами. Нет, новостей такого рода у меня нет.

— Ну ладно, подождем! — Она улыбнулась, приободряя меня. — Какие еще ваши годы. Постой... Минутку... Только ты не обижайся на меня, хорошо?

И Вероника, смущаясь, достала из сумочки розовую коробочку «фраутеста». Сунула мне в руку.

— Тест на беременность? — Я усмехнулась, не зная, как реагировать на это. Действительно ли обидеться, мол, не дразни меня, мне и так тяжело. Или же отблагодарить ее улыбкой за заботу и ту надежду, которую она попыталась в меня вселить. Я выбрала второе. — Спасибо, Вероника!

— Вот увидишь, этот тест окажется волшебным и судьбоносным. И знаешь, почему? Потому что его держала в руках влюбленная женщина. Ну, вот я и призналась тебе в том, что влюбилась. Как девочка. Как дурочка.

Я хотела ей сказать: осторожнее на поворотах! Я всегда знала, что любовь — чувство опасное и что не всем женщинам, вышедшим замуж по любви, так повезло, как мне с Захаром. Опыт миллиона женщин, статистика показывают, что брак по любви недолговечен, что невозможно на страсти и взаимном чувстве построить крепкую семью, основанную на уважении, где есть место таким понятиям, как порядочность, верность, ответственность. Женщина воспринимает страсть и увлечение за любовь, принимает какие-то радикальные решения, меняет свою жизнь, подчас предавая поистине родных и близких людей (детей, родителей!), и в результате, столкнувшись с предательством мужчины, остается одна.

Вероника, дорогая, будь осторожна, не доверяйся ему до конца, постарайся видеть в нем не только хорошее, будь объективна, не будь слепа! Вот такие слова хотела я сказать ей, но не сделала этого. Просто обняла.

— Любовь... — вздохнула я. — Любовь — это так прекрасно.

— Спасибо... Честно говоря, мне так хотелось поделиться с тобой тем, что со мной происходит... И так здорово, что ты мне позвонила!

И тут произошло что-то странное, непонятное. Мы стояли на выходе из кафе, мимо нас шли люди, вечер опустился на Арбат, вокруг зажглись огни, и вот в какое-то мгновенье на нас с Вероникой словно опустилось невидимое облако крепких лесных запахов: мха, мокрой хвои, дубовой коры, мяты, ромашки... Прохлада окутала наши плечи. И мимо нас прошла, словно сошедшая с акварели, прозрачная, в бежево-кофейных тонах женская фигура в длинной одежде. Призрачная женщина повернула голову и, глядя куда-то мимо меня, сквозь меня, улыбнулась мне и даже кивнула головой, словно здороваясь. Я смотрела ей в спину, как она уходит, держа гордо голову, и успела разглядеть густые волосы, скрученные в тяжелый узел на затылке, даже несколько мелких полевых ромашек с крепенькой, пахучей желтой сердцевиной, застрявших в спутанных прядях...

Видение исчезло, и я увидела Веронику, которая тоже смотрела в ту же сторону, куда ушла, растворившись в своем, нам не ведомом измерении, лесная фея, пани Зося.

— Вероника? С тобой все в порядке? — спросила я, испытывая легкое головокружение от только что пережитого. Вот что значит постоянно думать о ком-то, и этот «кто-то» словно материализуется! Главное, никому не признаваться в том, что видела. Иначе подумают, что ты сошла с ума.

— Представляешь... Может, я, конечно, сегодня перегрелась на солнце или же во всем виновата моя впечатлительность... Послушай, Лиля, ты, наверное, не знаешь... Зося... Пани Зося, помнишь в Панкратово?

Меня словно током ударило. Только что на моих глазах Вероника собиралась признаться мне в том, что видела призрак Зоси!

— Да, помню, конечно... — Я почувствовала, как мой лоб покрылся испариной. — И что?

— Мне показалось, что она сейчас прошла мимо нас...

— Да? И где же она?

— Нет, ты не поняла... Она не могла здесь пройти...

— Почему? Думаешь, она не выходит из своего леса?

— Она умерла, Лилечка. Ее убили вчера ночью, в ее же доме.

— Убили? Как это? За что? Кто?

— Мне одна знакомая позвонила, она тоже к ней собиралась... В новостях было... Уф... — Она затрясла головой, прогоняя призрак из своего сознания. — Вот и не верь после этого в привидения... Не поверишь, вот как тебя видела! Только что! И даже воздух стал прохладнее, лесом потянуло, ветерок такой, ледяной... Она совсем близко от нас прошла, словно сквозь тебя... Она еще повернулась, и я увидела ее лицо. Мне показалось, что оно совсем молодое. И вообще, она была не старая, просто одевалась, как старуха... Лиля! Стой!

Она вдруг отстранила меня рукой, нагнулась и подняла с пола головку ромашки, растерла в пальцах, поднесла к носу:

— Вот он, ее запах... Так пахло в ее доме... Эта ромашка упала с ее головы... Ладно, Лиля... Понимаю, что это уже чертовщина какая-то... или знак...

Я хотела ей признаться в том, что и я тоже видела эту живую акварель, эту пани Зосю, но рот мой словно кто-то запечатал.

— Ладно, Лилечка, я побежала! Привет твоему Захару!

Мы снова с ней обнялись, и она убежала. Я разжала правую ладонь и увидела на ней желто-белое ромашковое крошево... Испугалась.

— Прости меня, Зося, — прошептала я и быстро двинулась прочь из кафе.

8. Зоя

Я очень люблю свою сестру. И если бы не я, не знаю, что с ней стало бы. Два года она уже мучается со своим Вадимом, умом понимает, что он ей не пара, что жить с таким человеком просто нельзя, что с ним можно погибнуть, но разве ей что-нибудь объяснишь? Влюбилась, живет с ним на съемной квартире, потому что своей расплатилась по его долгам, и не может найти в себе силы порвать с ним. Вадим Караваев — человек-катастрофа. Там, где он, всегда проблемы. В нем столько пороков, что хватило бы на целую компанию негодяев. Алкоголь, наркотики, склонность к авантюрам, неисправимый безумный фантазер, аферист, бабник, мот и кутила, лентяй, обманщик, мошенник... Этот человек не идет по жизни, а летит, и все больше по наклонной. И если бы не моя сестрица, он давно бы уже умер: разбился бы на машине пьяный, спился бы, закончил свою жизнь под забором, как законченный наркоман...

Моя Ира же возится с ним, спасает, вытаскивает из разных передряг, лечит его, кормит, одевает-обувает, расплачивается с его кредиторами, прячет от таких же отморозков, как и он сам... Если бы это было возможно, отправила бы ее куда-нибудь подальше, за границу — учиться, работать, просто жить. Но без него.

Мой муж оставил мне в наследство стоматологическую клинику, где Ира работает у меня ведущим специалистом-протезистом. Зарабатывает хорошо, да только у нее в кармане всегда гуляет ветер. Она ходит в джинсах и майке летом, джинсах и свитере — в холодное время года. Красится самой дешевой тушью, душится остатками моих духов, нижнее белье покупает себе в «Детском мире», пользуется детскими шампунями и кремами, спит в старой маминой ночной рубашке и курит дешевые мужские сигареты.

Когда она утром появляется в клинике, я всегда встречаю ее так, как если бы она вернулась с того света. То есть каждый раз удивляюсь тому, что она все еще жива, что проснулась, несмотря на бурную и полную разных событий и волнений ночь, что у нее чистые волосы и зубы пока что все целы (а могли быть и выбиты), что у нее не дрожат руки и не заплакано лицо и что она в целом выглядит довольно опрятно. Особенно когда надевает на свою потрепанную одежду белоснежный накрахмаленный халат.

Когда у нее бывает свободная минута между пациентами, я зову ее к себе в кабинет выпить чашку кофе и съесть бутерброд, который готовлю ей, как если бы это было необходимое ей лекарство для поддержания силы. И всегда радуюсь, если ее ненормальный любовник, поработивший ее своей смазливой внешностью, куда-нибудь упилит — в Питер или Лондон, Париж или Женеву, туда, куда позовут его дружки: музыканты, художники, театралы, геи, наркоманы... Он обладает поистине удивительным свойством вызывать к себе самые высокие и благородные чувства и пользуется своей, прямо скажем, незаурядной (надо быть объективной!) внешностью, каким-то непонятным шармом и обаянием, которые вызывают у его окружения желание прихватить его с собой в качестве компаньона, друга, приятеля, спутника, помощника или просто красивого молодого человека, способного украсить собой любое мероприятие.

Выше я написала, что у него смазливая внешность. Это оттого, что я злюсь на него. Он высокий худой брюнет, обладатель драгоценных синих глаз, которыми он раздевает женщин и завораживает, примагничивает к себе мужчин. Я не знаю, есть ли у него любовники-мужчины, скорее всего нет, но то, что мужчины повсюду за него платят и делают ему подарки — это факт.

— Он не гей, Зоя, — говорит Ира. — Мужики любят его, сама не знаю, за что... Они видят в нем заблудшего ангела, быть может. А еще он прекрасный компаньон, всегда поддержит, будь то водка или травка. Они берут его с собой в путешествия, на соревнования, тусовки, на подписание важных договоров... Понимаешь, он, думаю, их талисман. И мой талисман тоже. И я не могу без него...

Когда-то я изучала психологию и могу с уверенностью сказать, что моя сестра относится к тому типу женщин, которые живут в состоянии постоянного стресса, чувствуют себя несчастными, жертвами и постоянно жалуются на свою жизнь. Но стоит у них забрать источник страдания, как они растеряются и не будут знать, как им жить дальше, за что бороться и куда двигаться дальше. Страдание — это и есть их образ жизни, сама жизнь.

Ира моя страдала от того, что ей приходилось делить Вадима со всеми, кто считал его своим близким другом и время от времени похищал его.

...Сейчас поймала себя на мысли, что не с того начала свой рассказ о Вадиме. Он вряд ли стал бы настолько популярным в столице, в богемной среде, если бы не его происхождение, его семья и все то окружение, которое его, по сути, и воспитало. Весь мир когда-то, когда маленький Вадик сладко посапывал в своей кроватке, состоял из большой и очень уютной квартиры в Староконюшенном переулке, в которой проживала его семья — дед, известный писатель-фантаст Родион Караваев, его жена (бабушка Вадима) — драматическая актриса Анна Берг и няня Ольга (родители Вадика, музыкальные эксцентрики, эмигрировали в Америку и растворились в ней без следа, когда мальчику было всего шесть месяцев).

В доме Караваевых часто принимали гостей, там любили бывать молодые московские поэты и писатели, актеры, художники, журналисты, киношники. Няня Ольга, накормив маленького Вадима медом, чтобы тот крепко спал, готовила закуски для гостей, разливала по графинам морсы и вино, доставала квашеную капусту, огурчики, помидоры, бегала в соседний гастроном за ветчиной и колбасами, в то время как родители Вадима слушали стихи своих гостей, пели вместе со своими друзьями песни и романсы или просто, развеселившись, теплой компанией гуляли по Арбату.

Когда Вадим подрос и начал сам декламировать стихи чужие, а потом и свои, его стали усаживать за стол вместе со взрослыми, давали ему разбавленное водой вино, постепенно приобщая к определенно-

Анна Данилова

му образу жизни, что и сделало его впоследствии человеком, с одной стороны, глубоким и интересным, образованным, начитанным и талантливым во всем, что касалось общения с людьми искусства, с другой — редким шалопаем.

Квартира в Староконюшенном переулке давно бы после смерти выдающегося деда пошла с молотка, Вадим продал бы ее еще полгода тому назад, если бы не одно обстоятельство, помешавшее ему сделать это. Нотариус, вскрывший завещание внезапно скончавшегося деда, зачитал последнюю волю покойного, вызвав у страдающего похмельем единственного наследника — Вадима рвотный спазм: внуку отходила трехкомнатная квартира в районе ВДНХ, автомобиль «Мерседес» (Е-класс 1989 года) и десять тысяч американских долларов.

Быть может, какому-нибудь неискушенному деньгами и прочими земными благами сверстнику Вадима это показалось бы настоящим богатством, но все в этом мире относительно. Оказалось, что основной капитал — злополучная квартира в Староконюшенном переулке, дача в Переделкино, крупные денежные вклады в России, Германии и Швейцарии, а также огромное литературное наследие деда (чьи книги продолжали издаваться по всему миру и приносили ему немалый доход) досталось никому не известной женщине по имени Эмма Петровна Китаева.

— Вадик пьет, — говорила Ира мне по телефону после похорон старика Караваева, — прямо не знаю, что с ним делать. Я понимаю, он рассчитывал, что старик оставит ему все, как-никак, единственный наследник. Но что поделать, завещание есть завещание. Сначала он настаивал на том, чтобы к нему приехал его друг-адвокат, он хотел с ним посоветоваться, можно ли оспорить завещание, мол, старик был не в себе, когда писал его, иначе не оставил бы все незнакомой женщине, явно мошеннице... И адвокат приехал, Клюев его фамилия, но Вадик не дождался его, столько выпил, что заснул мертвецким сном... Мы поговорили с Клюевым, и тот мне все популярно объяснил, мол, старик при составлении завещания находился в здравом уме и твердой памяти, поскольку как раз в это самое время он заканчивал работу над своим последним романом, что может подтвердить его редактор в издательстве, и вообще был в хорошей творческой форме, так что тут говорить о том, что у него был маразм, не приходится. Он был гением, Зоя, вот в чем дело. Отсюда — его великолепные книги, признание по всему миру, фанаты... Он — уникум, он создал свой мир, своих героев...

Я спросила, узнали ли они что-нибудь об этой женщине, кто она такая, кем приходилась Караваеву-старшему, и что, если, к примеру, окажется, что она какая-нибудь уголовница или профессиональная мошенница, то в этом случае, возможно, Вадим и выиграл бы дело.

Ира сказала, что Китаева никакая не мошенница, что она молодая, серьезная женщина (это со слов адвоката Клюева), что у нее свое кафе со средиземноморской кухней. Кстати, Ира туда ездила, чтобы посмотреть на Китаеву, ну и пообедала заодно.

— Я села за столик и попросила официантку позвать хозяйку. Вышла ухоженная молодая женщина. Не сказать, что красивая, но миленькая. Улыбка у нее хорошая. Я сразу представилась, сказала, что я — невеста Вадима Караваева, внука писателя Караваева, и что я хочу поговорить с ней о наследстве. Спросила ее, в курсе ли она, что Караваев оставил ей все, что нажил и заработал. Китаева спокойно мне так ответила, что, конечно, в курсе, что у нее был нотариус. На вопрос, кем ей приходился Караваев, она ответила, что они просто были в хороших отношениях. Что она уважала его как писателя, восхищалась им как человеком неординарным, и все такое. Тогда я спросила ее, как они вообще познакомились и как долго длилась их связь, на что Китаева ответила, что никакой связи не было, что познакомились они через близкого друга Караваева, поэта Сергея Качелина.

Понимаешь, Зоя, она держалась с таким достоинством, но не нагло, а так, как если бы действительно не чувствовала за собой вины, что она прикарманила чужие семейные деньги, и я подумала, а что, если у нее есть ребенок от Караваева. Я спросила ее об этом. Но она ответила, что у нее нет детей и что это здесь вообще ни при чем. Потом заметила, опять же мягко, что она употребит эти средства на благое дело, но в подробности вдаваться не стала. Посоветовала мне заказать венгерский паприкаш, сказала, что угощает «за счет заведения», улыбнулась мне и, сославшись на занятость, ушла. Я вдруг подумала, что все это вообще не мое дело, что я-то никаким боком к этому наследству отношения не имею. У меня все есть... В смысле, я не голодаю.

Я заметила, что она потеряла свою квартиру из-за своей дурацкой любви к Вадиму, на что она, обидевшись, даже всхлипнула. И тогда я, растрогавшись, сказала ей, что не стоит ей тратить деньги, снимая квартиру, что она может спокойно поселиться в моей старой квартире, из которой я недавно переехала в новую. Я сказала, что там сейчас работают мастера, красят стены и циклюют паркет, что недели через две она сможет туда переехать. Единственное условие — она должна расстаться с Вадимом, который, кстати говоря, на тот момент, когда мы разговаривали, был в Турции, куда уехал с группой киношников, снимающих фильм о жизни русских девушек в Стамбуле.

И тут Ира, которая могла спокойно говорить по телефону со мной часами, сказала, что хочет увидеть меня, приехать ко мне. Я обрадовалась. Такое с ней случалось все реже и реже. Она знала, что я не смогу удержаться от упреков, что стану воспитывать, давать советы, но в тот период ее жизни, думаю, мое участие ей было просто необходимо. Все-таки мы с ней близкие люди и любим друг друга.

Я ждала ее, подготовила ванну, как она любит, плеснула в горячую воду масло ландыша и отправилась на кухню готовить ужин. Она приехала через полчаса, и хотя я видела Иру каждый день на работе, в тот момент, в полумраке своей прихожей, я испугалась за нее, такой она показалась мне худой, даже истощенной, с запавшими глазами и испуганным взглядом. Я обняла ее, сделала то, что не могла себе позволить в стенах клиники, прижала ее к себе.

— Боже, одни кости остались! Ира, нельзя так. Ты, верно, ничего не ешь. Все страдаешь, переживаешь, думаешь о своем ненаглядном... Приди в себя! Пойдем, увидишь мою новую ванную комнату, я там тебе все приготовила...

Я знала, что она сейчас не воспринимает ничего, что я хотела, чтобы она заметила — мою новую квартиру, мой огромный мягкий диван, шкуру белого медведя в его изножье, чудесную ванную комнату с зеркальными стенами и оранжевыми колоннами...

Она разделась, сбросив с себя одежду прямо на пол — джинсы, какая-то зеленая кофточка, носочки, хотела быстро погрузиться в зеленоватую воду, но я все равно заметила синяки на ее теле, а кое-где, в области ребер, фиолетово-розовые полоски ссадин.

— Эта скотина еще и бьет тебя! — возмутилась я, сжимая кулаки. — Вот убила бы, точно тебе говорю!

Ира скрылась под водой, плавно колыхались ее потемневшие волосы. Затем вынырнула, взяла меня за руку и поцеловала.

— Зоя, спасибо. За все спасибо. Я все понимаю, все знаю, но это как болезнь. Не могу без него.

— Пора уже выздоравливать, Ира. Так нельзя. Мало того, что это уносит твою молодость, ты не можешь встретить хорошего человека, создать с ним семью, родить детей, так ты еще и разрушаешь себя, понимаешь? Посмотри, на кого ты стала похожа! Кожа и кости! Волосы выпадают, я же все вижу! Ты должна следить за собой, ухаживать, бросить курить, наконец! Нет-нет, и не смотри на меня так! Здесь я тебе курить не позволю, даже и не мечтай!

— Как хорошо с тобой... — Она закрыла глаза и снова погрузилась в воду, только нос остался над ее поверхностью.

Я спрашивала себя, что я могу для нее сделать, как помочь ей порвать с этим ужасным человеком, который тянет ее в пропасть. И тут вдруг Ира с шумом поднялась, плеснула себе в ладонь шампунь и принялась намыливать волосы. Я даже не сразу поняла, что она проговорила, сплевывая мыльную воду.

— Он убил деда. Отравил.

— Ира? Мне показалось? Что ты сейчас сказала?

Я склонилась к ней, чтобы получше слышать. Ира взяла в руки шланг душа и принялась смывать с головы пену.

— Ты все правильно услышала, Зоя. Вадим убил своего деда. Он знал, какие ему таблетки нельзя, что опасно для его сердца и давления... Не знаю, какой точно препарат он ему дал, но что заменил таблетки в пузырьке, это я видела собственными глазами.

Она подняла на меня свое мокрое лицо, глаза ее смотрели жалобно, как у голодной собаки.

— Я соучастница, понимаешь?

— Постой. Ты знала, что он собирается убить деда, и не помешала ему? — Я не хотела в это верить. Моя сестра не могла так поступить.

— Нет, конечно. Я не знала, что он собирается его убить. Просто он сказал, что дед заканчивает новый роман, что ему должны заплатить за него и что он намерен просить у него денег. Потом он сказал, что дед уже получил гонорар и что он, Вадим, попросил у него денег, но тот ответил, что Вадим опоздал, что он уже распорядился этими деньгами... Вадим и дед поссорились. Я слышала, какие гадости Вадим говорил старику, как оскорблял его!

— Какие гадости? Он угрожал ему?

— Нет, прямых угроз не было, просто он сказал ему, что у него нет сердца, что он сам воспитал его, Вадима, таким, каким он стал, и теперь почему-то не любит его. Что дед — великий эгоист, что он живет в вымышленном мире, что надо жить и любить своих родственников... На что дед сказал, что он всю свою жизнь посвятил своей жене, ты знаешь, я тебе рассказывала, это была очень известная актриса, Анна Берг, она умерла пять лет тому назад, и Караваев долго горевал, чуть с ума не сошел, а потом написал в честь нее книгу о космосе, об астронавтах, где все действие происходит на планете «Берг»... Кажется, американцы купили сценарий, написанный по роману Караваева каким-то его другом.

— И что потом? Что с этими таблетками?

— Вадим не видел меня, когда он менял таблетки в пузырьках. И когда я подошла к нему, он услышал мои шаги, резко повернулся и увидел меня, у него аж ноги подкосились, так он испугался... Я спросила, что он делает, и он ответил, что рассыпал таблетки, а теперь собирает... Зоя, что я могла ему предъявить? Сказать, что я видела, как он заменил таблетки? Он и так в последнее время раздраженный, кричит на меня постоянно... Я просто не могла ничего ему предъявить, да я до конца и сама не верила в это!

— Ты хотела ему поверить и поверила, — сказала я, ужасаясь тому, что узнала. — И что?

— Он умер этим же вечером, Родион Караваев, известный писатель-фантаст. Смерть констатировал его лечащий доктор и друг.

— То есть эта смерть не вызвала подозрения у его друга-доктора?

— Ему было за восемьдесят, понимаешь? Да и сердце было изношено, у него после смерти жены случился микроинфаркт. Никто, как ты понимаешь, не стал настаивать на вскрытии, все его друзья, окружение, общественность — все помогали с организацией похорон, готовили вечер памяти и все такое... И никому бы и в голову не пришло, что внук ускорил его уход.

— Никто не проверял после его смерти таблетки? Никто ничего не заподозрил?

— Уверена, что нет. Разве что его друг, поэт, переводчик и сценарист Сергей Качелин. Вадим позвонил ему ночью, сказал, что дед умер, и он приехал, он же вызвал и доктора Никитина. Но до приезда доктора он подробно расспрашивал Вадима о том, как чувствовал себя дед накануне...

— А что, Вадим был там, в его квартире?

— Да, мы оба были там. Почти неделю жили, потому что у меня дома воду отключили... Вот мы и погостили у старика немного. Тогда-то я и увидела эту комбинацию с таблетками и стала свидетелем преступления... Говорю же, ночью Караваев умер. Меня разбудил Вадим, он сказал, что ему приснился нехороший сон, как будто у него зуб удалили с кровью. Что он проснулся, пошел проведать дела и нашел его мертвым. Вот такая отвратительная история.

— Так, постой... Вадим знает, что ты обо всем догадалась?

— Уверена, что знает. Понимаешь, он ведь потом, вечером, напился и уснул в гостиной, а когда проснулся, мы все еще были там, в Староконюшенном, он растолкал меня, разбудил, залез ко мне под одеяло и сказал, что ему страшно, что за ним приходили... Что его ищут, что он, как он выразился, «скакал по воздуху», убегая от преследователей, что они знают, что это он убил деда... У него зубы стучали, он прижимался ко мне всем телом, дрожал, просил меня спрятать его «от них»... Я еще подумала тогда, что стала свидетелем страданий и страхов человека, совершившего убийство.

— Значит, он понимает, что ты все знаешь.

— Да ты не переживай. Я уверена, что тело Караваева не будут эксгумировать, что прокатит... Дело не в этом, Зоя. Понимаешь, Вадим же решился на это из-за денег, из-за наследства, ведь все обдумал, каналья! И что в результате? Оказалось, что Караваев оставил все какой-то Китаевой... Кто она такая, откуда взялась? Вроде бы она хорошая знакомая Сергея Качелина.

— А что ты знаешь об этом Качелине?

— Говорю же, поэт, у него много сборников выходило в свое время. Еще переводчик с английского и сценарист. Но сценарии он начал писать лет пять тому назад, когда ему понадобились деньги. У него в семье какая-то неприятная история произошла, конфликт с дочерью... Кажется, он подарил ей свою квартиру, с тем чтобы она, как и многие наследники, не дожидалась его смерти, ну, чтобы уверена была, что он не отпишет ее какому-нибудь благотворительному фонду или просто мошенникам, а эта особа возьми да и продай эту квартиру. Вместе с Качелиным. Грязная, неприятная история, в результате которой Качелин остался в буквальном смысле на улице. Какое-то время он жил у своего друга, у нашего Караваева, они вместе придумали сценарий мультфильма по его же произведению, и Качелин все это записал, то есть оформил сценарий как положено. И представляешь, его у него купили! У него появились деньги, и он снял себе однокомнатную квартиру где-то поблизости от своего друга. Возможно, что как раз в это время и появилась в его жизни женщина, эта Китаева... Знаешь, не могу произносить ее имя без дрожи... Без содрогания! И откуда она только взялась?!

— Послушай, Ира, оно тебе надо? Все эти Качелины, Караваевы? Послушай, дорогая, забудь ты своего Вадима, как страшный сон... Забудь! И начни новую жизнь. А я тебе помогу. Хватит уже думать о нем...

— Подожди, Зоя... Я же приехала к тебе, чтобы сообщить еще кое-что важное, что не могла сказать по телефону. Китаева... Я слышала, как Вадим разговаривал с кем-то по телефону, и из разговора я поняла, что он хочет, как он говорит, «восстановить справедливость», что он хочет отобрать у Китаевой свое наследство. И мне страшно, Зоя. Я вижу, как он на моих глазах превращается в дьявола... Он же и меня погубит! Потянет за собой!

— Не думаю, что он сможет отобрать у нее деньги, это невозможно. Но ты должна уйти в сторону. Совсем уйти, бросить его. Ира, я уже устала тебе это повторять!

Она пообещала мне, что все хорошенько обдумает и примет решение. Она призналась мне, что и сама уже устала, что стала плохо себя чувствовать, а самое ужасное, что Вадим начал поднимать на нее руку, что вовсе недопустимо. Еще она сказала, что должна помочь Вадиму с переездом, ведь если они расстанутся и она съедет с квартиры и переедет ко мне, Вадиму нужно будет тоже переезжать. И что это счастье, что дед оставил ему хотя бы квартиру на ВДНХ, большую, трехкомнатную. Конечно, можно было бы постараться извлечь из этого хотя бы небольшую прибыль, то есть сдавать эту трехкомнатную, а Вадиму снимать, скажем, однокомнатную, чтобы на разницу как-то жить, ведь он же нигде не работает, болтается с друзьями по миру, пьет...

Я сказала ей, что это уже не ее головная боль. Что уж если рвать с Вадимом, то решительно, не оглядываясь и не думая о том, как он будет жить без нее. Она же не мать ему, чтобы заботиться постоянно.

Тот вечер с Ирой остался у меня в памяти, как переломный момент в ее жизни. Мне показалось, что я ее убедила во многом и дала правильное направление ее мыслям. Мы с ней выпили вина, плотно поужинали, потом смотрели какой-то фильм и уснули в одной кровати, словно мы еще дети...

На следующий день я встретила ее в клинике и сначала даже не узнала. Она была в черной юбке-карандаш и красном свитере. Юбка была чуть выше колена, туфли на каблучке, и все увидели стройные ножки моей сестры. Она и волосы зачесала назад, открыв красивый лоб, и лицо ее стало как будто свежее.

— Добрый день, Зоя, — сказала она, надевая белый халат. — Знаешь, я все думала-думала... А потом забежала к одной своей знакомой, она работает в супермаркете, рядом с домом, и попросила ее отложить для меня большие картонные коробки для переезда. Надеюсь, твое приглашение еще в силе?

Я, понимая, что обещанная ей квартира еще не готова, но что второго такого случая может и не быть, предложила ей на время ремонта пожить у меня, а вещи отнести в мой гараж.

— Я и курить бросила, честно, — сказала она, и я улыбнулась. Конечно, вот так взять и бросить курить за один день — невозможно.

— Ты — молодец. Когда переезжаем?

— Сегодня вечером!

— Хорошо, я позову своих друзей, мы поможем... А где Вадим? Он знает? Где он? Вернулся из Стамбула?

— Да, вчера и вернулся. Когда я у тебя была. У него новая татуировка на плече. Нос почему-то разбит. Я хотела постирать его вещи, порылась в его карманах и нашла билет на самолет... Оказывается, он прилетел еще два дня тому назад.

— Да? Не думай об этом, прошу тебя. Не ревнуй. Наверняка с друзьями где-нибудь пил...

— Еще нашла чек и визитку кафе «Эмма»...

Я замерла, предчувствуя что-то нехорошее. Ведь это кафе принадлежало Китаевой!

— Я не стала его ни о чем расспрашивать. Сказала, что я приняла решение расстаться. Я говорила с ним сухо, резко, чтобы он понял, что это конец... Он потянулся за бутылкой, но напиться ему не удалось... Его рвало в туалете. Долго. Видимо, он отравился. Я спросила его, сделав вид, будто ничего не знаю о чеке из кафе, где он пообедал на кругленькую сумму, где и что он ел. Он сказал, что какое-то острое венгерское рагу, названия он не помнит... Но что он не мог им отравиться, потому что его только что приготовили... Я решила уточнить, когда это было, сегодня? И тогда он вдруг сказал, что последний раз ел вчера, вечером...

— Думаешь, он ездил к Китаевой выяснять отношения, просить ее вернуть ему деньги и квартиру?

— Уверена! В Москве что, больше поесть негде, как у Китаевой?

Весь день я наблюдала за Ирой и видела, что она действительно решила изменить свою жизнь. Я заглядывала к ней в кабинет, и она, встретившись со мной взглядом, улыбалась, мол, не переживай, со мной все в порядке.

Вечером после работы я собрала людей, и мы помогли Ире перевезти в гараж ее вещи. Многое оставили, потому что не было смысла вывозить: потрепанные ковры, сломанную мебель, застиранное постельное белье, тарелки с отбитыми краями, сгоревший электрический чайник... Основной багаж Иры составляли книги, старые пластинки да кое-что из личных, дорогих ее сердцу, вещей.

— Господи, как же хорошо, что я тебя отсюда увожу! Какой клоповник, дыра! А запах! Ира, как ты здесь жила?

— Представь себе, что какое-то время я была даже счастлива тут!

Я спросила ее, где Вадим. Она сказала, что он с каким-то другом поехал на машине в Питер, кому-то как-то надо помочь (то, что Ирине нужно помочь с переездом, ему, уроду, и в голову не пришло)... Он сказал, что в течение недели освободит квартиру.

— Как вы расстались?

— Не поняла даже. Сначала у него поднялась температура, потом давление стало девяносто на сорок пять... Два раза вырвало... Может, наркотики принял, а может, просто с бодуна... Я сама ничего не поняла. Думаю, что он еще не осознал, что произошло. Он крутится на какой-то своей орбите, и мы с ним уже никогда не пересечемся...

— Может, это нервы? — предположила я.

— Вполне может быть, — согласилась со мной Ира.

В тот вечер она не курила, мы с ней выпили немного водки, поужинали и, уставшие, легли спать. Утром встали, выпили по чашке кофе и поехали в клинику. Ира снова надела черную юбку, белую кружевную блузку, подкрасила губы и опять стала похожа на мою прежнюю красивую сестру.

А после обеда она вошла ко мне в кабинет белая как мел и сообщила новость: Эмма Китаева убита.

— Я пила кофе в холле. Там работал телевизор... Передавали криминальные новости. Я знала, чувствовала, что это он... Это он ее убил, Вадим. Нервы у него... Господи, Зоя, как хорошо, что я переехала к тебе! Мне бы сигаретку...

9. Следователь Дмитрий Павлович Азаров

Анна Тот, высокая девушка с длинными русыми волосами и идеальной челкой над бровями, во всем черном, даже сережки у нее были с черными камушками.

Мягкой кожи вместительная сумка коричневого цвета болталась на ее руке, позванивая золочеными шариками, когда она входила в кафе «Эмма», где мы договорились с ней встретиться. Понятное дело, что в кафе собралось в этот вечер довольно много народу: друзья, знакомые и, насколько я понял, постоянные посетители кафе, которые заглянули туда в надежде хоть что-нибудь узнать о внезапной гибели молодой хозяйки заведения.

На круглом столике в зале кафе портрет Эммы в рамке с черной лентой, ваза с красными и белыми розами.

Катя Мертвая, которая сидела со мной, пока я дожидался приезда Анны Тот, поглядывая на портрет, недовольно морщилась и тихо твердила мне, как если бы я здесь что-то решал: «И к чему этот траур в кафе, людям кусок в горло не полезет, можно было бы установить все во внутренних помещениях... Уверена, Эмме бы понравилось. Она всегда первым делом думала о своих гостях... Те, кто знал Эмму, и так почтут ее память».

Я не знал, как правильно отреагировать на ее слова, а потому просто кивал.

— Смотрите, люди приходят и приходят... Просто в голове не укладывается, что Эммы больше нет. Это не-воз-мож-но! Это кошмарный сон, который никак не кончится...

— Катя, скажите, вы знаете что-нибудь о завещании Эммы?

— Знаю, — буркнула она. — Я вообще все про Эмму знаю. Но вы же следователь, вы-то лучше меня должны все знать!

— Через час копия завещания будет у меня в кармане, но пока что... Чтобы не тратить время напрасно, может, расскажете мне предысторию этого завещания?

— Эмма была небедной женщиной, но ее финансовые дела — тайна за семью печатями. Вы даже представить себе не можете, как теперь будет все трудно и сложно! Ведь теперь за все буду отвечать я!

— Но постойте... У нее же есть прямые наследники: родители, двоюродная сестра Валентина...

— Родители ее люди состоятельные, у них у каждого есть свой волшебный источник финансового, как любила говорить Эмма, вдохновения. Но поскольку они все же ее родители и она предполагала, что им захочется иметь что-то в память о своей единственной дочери, то она завещала им свои детские куклы, детские потрепанные книжки и два школьных дневника. Я сама лично видела, как она упаковала их в большую розовую коробку и убрала на верхнюю полку своего гардероба. Она даже надпись сделала на коробке: «Дорогим родителям». Еще посмеялась, сказала, что родители до этого дня не доживут и что, скорее всего, этими куклами будут играть ее дети, а может, и внуки. Она не собиралась умирать, да и завещание составила лишь потому, что была человеком в высшей степени ответственным, понимаете?

Но я тогда, честно говоря, ничего не понимал.

— Что вообще побудило ее написать завещание, это в ее-то возрасте?

— Говорю же, чувство ответственности, — прошептала Катя, глотая слезы. — О, смотрите! Анечка!

Она вскочила и бросилась к дверям, где показалась Анна Тот. Подруги обнялись. Анна была выше Кати на целую голову и выглядела очень респектабельно, несмотря на молодость и очень нежную, почти детскую кожу и розовый румянец во всю щеку.

Увидев портрет Эммы в траурной рамке, Аня зажмурилась, потом отвернулась и разрыдалась на плече у Кати.

Катя подвела ко мне Аню, я представился. Глядя на красивую Аню, словно сделанную из самых дорогих природных материалов, я понял того венгра Тота, который заполучил ее, русскую девушку, себе в жены, и теперь живет с ней, не нарадуется.

Вот такие мысли бродили в моей голове, пока я разглядывал красавицу Аню и ее румянец.

Потом я начал задавать ей разные вопросы, но ничего нового не услышал. Да, она тоже бывала у Зоси (она называла ее на польский манер «пани Зося»), и все, что ей предсказывала в свое время Зося, всегда сбывалось. Она была настоящей волшебницей!

В превосходной степени рассказывала Аня и о Норе, своей подруге и соседке, образованной, интеллигентной женщине. Несмотря на разницу в возрасте, Аня находила ее молодой и очень интересной. Вот только в личной жизни у нее не все складывалось так, как ей хотелось бы. Не было у нее семьи, и детей не было. Она вот уже несколько лет заботилась о старом больном деде, оплачивала сиделку. Аня предположила, что Нора не может выйти замуж именно из-за того, что в ее доме живет старый, нуждающийся в уходе человек.

— Надо же, какая судьба! — воскликнула Аня. — Какая цепочка из нас, дур..

— Не понял...

— Вот, захотели девушки заглянуть в свое будущее. Я рассказала Норе о своей встрече с Зосей, она загорелась, сказала, что давно не была в Москве, надо бы поехать, походить по музеям, театрам, а заодно навестить эту Зосю... Нора как-то призналась мне, что мужчина, с которым она встречалась вот уже два года, заметно охладел к ней, стал реже звонить и избегать встреч. Нора подозревает, что у него появилась другая женщина, и по этому поводу сильно переживает. Мужчину зовут Джеза, я видела его, очень красивый, к тому же вдовец. Он был бы хорошим мужем для Норы. Не знаю, что уж там случилось, никто не знает. Нора — гордая, она не выясняет с ним отношений, воспринимает его таким, какой он есть, и ждет его звонков... Переживает. Понятное дело, что она приехала в Москву не только ради Зоси, просто ей захотелось развеяться, сменить обстановку, а еще она очень любит музеи, выставки, покупает картины русских художников.

Я мог бы и дальше разговаривать с Аней о ком и о чем угодно, но я понимал, что теряю время: все было ясно и с Аней, и с Норой.

У меня была договоренность с Мариной Болотовой, что она подъедет сюда же, в кафе, чтобы ответить на мои вопросы. Конечно, я мог бы встретиться с ней на нейтральной территории, но мне хотелось увидеть ее лицо в тот момент, когда она увидит этот портрет Китаевой в траурной рамке. Он сыграет свою роль — реакция Болотовой будет естественной. И если это она приложила руку к убийству Эммы, то я, быть может, смогу это понять.

— Анечка, спасибо вам за то, что уделили мне время. Но я должен работать. Сейчас ко мне придет еще одна дама, и когда она появится, попросите, пожалуйста, официантку, чтобы нам принесли кофе.

— Рада была помочь... Хорошо, я предупрежу Надю.

Столик, за которым я сидел, находился в самом углу кафе, за большой пальмой в кадке. Я предполагаю, что Эмма специально устроила три столика подобным образом, чтобы влюбленным парочкам было где уединиться, пошептаться, держась за руки, не привлекая к себе особого внимания. Хотя, быть может, так получилось неосознанно, просто из желания украсить зал красивыми растениями. Как бы то ни было, но меня моя позиция наблюдателя очень даже устраивала. Кто надо, знал о моем присутствии, другим же не было до меня никакого дела.

Я сидел и размышлял над тем, как бы мне построить свой разговор с Мариной Болотовой, как вдруг увидел перед собой официантку, худенькую девушку в красном переднике, на табличке имя обладательницы изящной фигурки и больших карих глаз — Надежда.

— Я знаю, что вы — следователь, что ищете убийцу нашей Эммы. — Она говорила быстро, тихо, заговорщицки.

— У вас есть информация?

— Да, думаю, есть. Не знаю, может ли это иметь какое-то значение для следствия, но у подруги Эммы, Кати Мертвой, был свой интерес. Не знаю, что их связывало, помимо дружбы, но явно какие-то дела. Причем тайные. С одной стороны, может показаться, что Катя действовала с ведома Эммы, но с другой... Я не знаю, что все это могло означать. Я видела, что вы разговаривали с Катей, возможно, она вам что-то и рассказала...

— Надя, говорите.

— Раз в неделю, по субботам, вот уже на протяжении целого года Катя приезжает сюда на пикапе. Белый такой пикап, на котором нарисовано солнце, солнечные лучи и два слова: «Casa solare». Думаю, это название какой-то фирмы или этот пикап они арендуют... Так вот. Наши грузчики забивают этот пикап продуктами, но не картошкой или мукой, нет, там — фрукты, рыбные деликатесы, копченая колбаса, конфеты, шоколад, дорогой алкоголь... Понимаете, я бы поняла еще, если бы там были молочные смеси, детские игрушки, к примеру, то можно было бы предположить, что Эмма занимается благотворительностью и помогает какому-нибудь детскому дому. Но балыки, черная и красная икра, виски, коньяк!

— Но вы же сами говорите, что все это организовывается, вернее организовывалось, вашей хозяйкой, тогда в чем же вы видите подвох?

— Да не то чтобы подвох... Нет! Просто я хочу сказать, что помимо этого кафе Эмма занималась чем-то еще, а чем — никто из наших не знает, ну, разве что Василиса Прекрасная. Наш администратор. Но она — молчунья, очень серьезный человек, умеет хранить свои и чужие секреты, и она была предана Эмме, как никто. Вы бы поговорили с ней. А что, если убийство Эммы связано с этой сферой ее деятельности? Может, у нее был какой-нибудь карточный клуб, к примеру...

Ну, вот теперь все как-то прояснилось. Официанточка Надя решила под шумок следствия удовлетворить свое любопытство и выяснить, наконец, кому предназначались дорогой алкоголь и черная икра. Карточный клуб. Что ж, и такое тоже могло иметь место, тем более что Китаева делала свои деньги явно не из воздуха, а они у нее были, достаточно вспомнить реставрацию старинной усадьбы в Сухово. Время шло, а официальных сведений, касающихся финансов Китаевой, я еще не получил. Как и результатов экспертизы. Ладно, подождем до завтра.

— Хорошо, Надя, спасибо вам.

— Вы только никому не говорите о том, что я вам сейчас рассказала. Просто мне очень хочется помочь вам поскорее найти убийцу Эммы. Вы не представляете себе, каким она была человеком. Она была очень добрая. Всем помогала. Если у кого-то в нашем коллективе проблема — Эмма ее решала, никогда не скупилась. И деньги давала, и советом помогала! У нас очень дружный коллектив. И кафе процветало. А что с нами будет теперь? Вы не знаете, есть ли завещание?

Мне почему-то захотелось дать ей щелбан...

Чтобы не держала меня за идиота, который выложит ей все подробности завещания Китаевой. Наглая девица, таких наказывать надо.

Завещание Китаевой. Действительно, кто теперь будет владеть кафе? А кому достанется квартира?

Квартиру Китаевой мы обыскали, Катя, присутствовавшая при этом, довольно уверенно сказала, что все вещи на местах, драгоценности тоже. Что же касается сейфа, то ей известен код, и она в присутствии понятых готова нам его открыть.

В сейфе лежали документы, довольно много наличности, коробка с золотыми украшениями. Документы были изъяты для изучения, так же как и два ноутбука, компьютер. Предстояло много работы...

...Когда официантка Надя ушла, покачивая бедрами, я позвонил, чтобы справиться, появилась ли информация о завещании Китаевой. Стажер Леша Корнеев сказал, что с минуты на минуту должен прийти курьер, которого он отправил в нотариальную палату за ответом на запрос прокуратуры о наличии завещания.

— Леша, как только он придет, вскрывай завещание и прочтешь мне по телефону, понятно? А что там с экспертизой?

Имелась в виду судмедэкспертиза трупов.

В ответ я услышал тишину и понял, что Леша просто растерялся, не зная, что и ответить.

— Закопался в тексте? — догадался я.

— Ну да... Приблизительное время смерти... Вот: «Смерть наступила 8—15 часов назад с момента осмотра трупа...»

— То есть не ночью, как мы предполагали, а вечером третьего августа?

— Ну да.

— Интересно. Очень интересно... Хорошо. Теперь вопрос: поскольку нас интересует Китаева, то я хотел бы знать, она не была беременна?

— Кажется, нет. Об этом ничего не сказано. Смерть наступила от проникающего ножевого ранения, не совместимого с жизнью. Приблизительно то же написано и в протоколе Левандовской, вот только она-то как раз была беременна, четырнадцать недель...

Вот это поворот! Я позвонил своему коллеге, Михаилу Евгеньевичу Евсееву (душа-человек!), следователю прокуратуры Луговского района, в чьем ведомстве находится деревня Панкратово, спросил его, в курсе ли он результатов экспертизы, на что услышал громкий вздох.

— Приветствую тебя, Дмитрий Палыч! Да я и сам в удивлении! Ума не приложу, как это она могла забеременеть и, главное, от кого?

— Михаил Евгеньевич, ты же сам говорил мне, что ей по паспорту всего-то тридцать пять!

— Да уж... Надо искать кавалера ее, думаю, кто-то из местных. Вот сейчас как раз еду в Панкратово. Есть у меня там свой человечек, в магазине работает. Вот она-то точно мне все расскажет. Ты сам-то когда пожалуешь? Вот если бы сегодня к нам заглянул, то не пожалел бы! Моя Людмила свиные ребрышки замариновала, к вечеру угли подготовит, ты же видел наш мангал... Соглашайся! Посидели бы, поработали, а может, ты сначала доехал бы до Панкратово, мы бы с людьми поговорили...

Я сказал, что и сам хотел предложить встретиться, на что Михаил Евгеньевич (или просто Миша, как он сам просит себя называть) радостно воскликнул:

— Я знал, знал, что ты приедешь! Давай, друг, а то я тут закопался... Все Панкратово на меня смотрит, люди ждут, когда я им убийцу Зоси на блюдечке принесу, а где я его возьму? Отпечатки пальцев есть, но их — десятки! У нее сколько людей побывать успело! Кто-то за дверь держался, кто-то чашку брал, чтобы воды попить, да мало ли! Я успел составить список панкратовских баб, которые часто захаживали к ней. Среди них есть одна очень активная, будет нам помощница. Ее зовут Рита. Баба она умная, у нее свое хозяйство, она свинину коптит и продает на рынке. Вот только муж от нее сбежал к соседке, и теперь они оба, сладкая парочка, значит, муж и любовница его, мозолят ей глаза каждый день, прикинь? Вот она к этой Зосе как к себе домой приходила, все спрашивала, как боль унять, как вообще жить, когда на глазах такое творится... И уехать не может, хозяйство, все налажено... И смотреть на все это тоже сил нет. Вот она точно рассказать сможет, кто в последнее время бывал у Зоси, да и вообще многое про нее знает. Может, и про любовника ее тоже в курсе. Приезжай! Когда тебя ждать?

Я пообещал перезвонить, сказал, что у меня есть дела в Москве, но часа через два освобожусь и приеду.

Закончив разговор, я попытался сосредоточиться на том, что рассказала мне официантка Надя о субботних рейсах загадочного пикапа. Однако не успел даже вспомнить название фирмы, запечатленное на его корпусе, поскольку в кафе вошла, растерянно оглядываясь, молодая рыжеволосая женщина в темно-сером платье с черным кружевным воротничком. Черные чулки, черные туфельки, темные очки в пол-лица, которые она почти сразу сняла. Остановилась перед портретом Китаевой и некоторое время рассматривала его, нервно покусывая дужку очков. Любопытство, удивление, недоумение — вот что я прочел в ее взгляде.

Это была Марина, жена архитектора Болотова, потенциального любовника покойной Китаевой.

Я приподнялся и окликнул ее. Она вздрогнула, как если бы не была готова к тому, что ее здесь узнают, или просто сильно нервничала, посмотрела на меня, кивнула головой и быстрым шагом направилась к моему столику.

— Вы — Азаров?

От нее пахло хорошими горьковатыми духами. Да, она была не из тех женщин, которых бросают. Однако ее бросили, и вот к этому-то она и не была готова. Возможно, узнав о связи мужа с Китаевой, она испытала настоящий шок, стресс.

— Присаживайтесь, Марина.

Подошла Надя с подносом, поставила перед нами две чашки с кофе. Поблагодарил ее молча, взглядом, и она неслышно удалилась.

— Марина, вы были знакомы с Китаевой?

Она отвечала на вопросы предельно откровенно. Честно призналась, что шла на встречу со мной, не имея ни малейшего желания говорить о своих чувствах, о своей сопернице, но в последний момент решила, что если будет лгать и делать вид, что она понятия не имеет, кто такая Китаева, то это вызовет у меня подозрение и недоверие.

Рассказала, как она, мучимая ревностью, попросила своего знакомого по имени Саша отвезти ее в Сухово как раз в тот день, когда муж повез туда эту Китаеву.

— На ней было зеленое платье и красивая соломенная шляпа, — сказала она, всхлипывая. — Не могу сказать, что она была красавицей, но очень миленькая. И мне действительно жаль, что она так ужасно погибла. Поверьте мне, я здесь ни при чем! Я же понимаю, что ваша работа — всех подозревать, задавать вопросы и все такое. Но я никогда бы не решилась на такой ужасный поступок! Скорее всего, узнав о том, что мой муж влюбился и собирается бросить меня, я отошла бы в сторону. Вот говорят, что надо бороться за свое счастье. Как? — Она выставила вперед изогнутые кисти рук, подняла плечи, превращаясь в живой вопросительный знак. — Все это глупости. Мой муж раньше никогда не давал мне повода ревновать. Я жила очень спокойно, и сама не понимала своего счастья. А тут я просто сердцем почувствовала, что он влюбился в другую женщину. Слишком уж много было разных деталей, которые свидетельствовали об этом... Но это уже очень личное.

— А кто такой Саша? Кем он вам приходится? Сколько ему лет?

— Знаете, даже затрудняюсь сказать, кем он мне приходится. Влюбленный в меня мальчишка, которого я самым бессовестным образом использую... Он помогает мне по хозяйству, ходит в магазин, возит меня на дачу... Я понимаю, зачем вы задаете мне все эти вопросы... Но я же обещала быть с вами откровенной. Так вот, он, вероятно, надеялся, что мы станем любовниками, но я не воспринимаю его как мужчину. Я бы могла, думаю, переспать с ним, чтобы отомстить мужу, но пока что решимости не хватило... Хотя глупо было вообще впускать в дом практически чужого человека, доверять ему квартиру, машину, да и... свои мысли! Я же ему рассказывала о своих проблемах, о своей ревности.

— Что вы знаете о проекте, который познакомил вашего мужа с Китаевой?

— Реставрация усадьбы в Сухово. Вот и все, что я знаю. Дорогостоящий проект. Интересный, по словам мужа. Из чего я и сделала вывод, что Китаева — богатая девушка.

— Где вы были вечером третьего августа и утром четвертого?

— Дома. Я вообще большую часть своей жизни провожу дома. Или на даче.

— А Саша?

— Понятия не имею.

— Скажите, а он не мог, видя ваши страдания, разделаться с вашей соперницей?

— Кто? Саша? Да он же совсем мальчик! К тому же там такое страшное убийство! Двойное! Еще же убили эту бедную женщину-гадалку, Зосю. Вы, конечно, можете не прислушиваться к моему мнению, но как-то все указывает на то, что Китаеву убили просто за компанию, если можно так выразиться. Как свидетеля!

Глядя на Марину Болотову, я спрашивал себя, способна ли она была на убийство соперницы, способна ли нанять кого-то, чтобы Китаеву убили, и понимал, что этого человека я не чувствую, а потому вариантов ответа, как обычно, два: способна и не способна. Женская сущность — сложный организм. Передо мной сидела женщина, прекрасно знающая себе цену и в то же время осознающая, что ею пренебрегли, что ей предпочли другую. И вот эта другая приходила к ней ночами, но не в сны, а в темные и душные лабиринты воображения, нагнетая болезненную бессонницу, заставляя сердце колотиться в предсмертном режиме отчаяния. Но тогда получается, что я ее все-таки чувствую, раз представляю ее страдания.

— Марина? — окликнул я женщину и взял ее руку в свою. — Марина, я вижу, как вам тяжело. Послушайте, жизнь не закончилась на этой истории, она продолжается... Вы не хотите поехать вместе со мной в Панкратово?

— Куда-куда? В Панкратово?

Вот сейчас она должна отказаться. Ведь в Панкратово убита Китаева. И ей, если только она имеет отношение к убийству, будет неприятно оказаться там.

— Вы серьезно? Но зачем?

— Марина, я понимаю, что поступаю непрофессионально, приглашая вас с собой на место преступления, но вы можете воспринять это как прогулку за город, на природу. У меня там дела, встреча с моим коллегой, тоже следователем, который как раз ведет дело Левандовской...

— Вы что, совсем спятили? — Она резко поднялась. — Зачем вы так со мной? Что я вам сделала?

Думаете, я там, на месте преступления сознаюсь в том, чего не совершала? Какая грубая работа! Какая гадость!

Я смотрел на нее, оглушенный биением своего сердца, и не мог объяснить ей, что я пригласил ее с собой исключительно из-за желания чувствовать ее рядом с собой, слышать ее голос. Просто наваждение какое-то!

— Марина, успокойтесь, сядьте...

Я схватил ее за руку, понимая, что ей может быть больно, и с силой усадил на место. Затем прижал ее руку к своим губам. Поцеловал.

— Вы извините меня... Сам не знаю, что на меня нашло. Вам никогда не приходило в голову, что следователь — он тот же мужчина? Сто раз простите!

— Вы что, серьезно хотели пригласить меня не как свидетельницу, не как соперницу Китаевой...

— Во-первых, никакая вы не свидетельница, вы же ничего не знаете и ничего не видели. Во-вторых, не думаю, что вижу перед собой идиотку, которая после того, как увидела своего мужа на объекте строительства в компании заказчицы, решает зарезать ее, а заодно и ни в чем не повинную женщину. Или это вы принимаете меня за кретина?

— Ну ладно... Вы тоже простите меня... Никогда бы не подумала, что следователь способен пригласить меня на пикник или куда-то там, за город... Мне пора.

— Я вас провожу.

Уже у выхода, в полумраке холла, где не было ни одной души, я обнял Марину за талию, быстро развернул ее лицом к себе и поцеловал. На поцелуй она, конечно, не ответила, и я понимал, что она в шоке от того, что с ней происходит. Но губы у нее были мягкие, теплые и пахли кофе.

— Вы очень мне понравились... — прошептал я ей на ухо.

— А вы мне — нет, — сказала она осипшим от волнения голосом и толкнула тяжелую дверь. — Ненавижу.

Она ушла, а я еще некоторое время стоял, приходя в себя. Не слишком ли много женщин прошло в тот день перед моими глазами? Аня Тот, которая взволновала меня, Катя Мертвая, которая была живее всех живых, официантка Надя, которая шептала мне свои тайны, обдавая мое лицо горячим мятным дыханием, и теперь вот Марина...

Я стоял и загибал пальцы, считал... Получалось, что у меня вот уже двенадцать дней не было женщины.

10. Катя Мертвая

— Проходи, Анечка.

Катя открыла дверь квартиры Эммы своими ключами.

— Господи, никак не могу принять ее смерть, так и кажется, что она сейчас появится, со своей чудесной улыбкой, обрадуется нашему приходу, мы обнимемся... Нет, это просто невозможно! Проходи... Ты с дороги, тебе надо принять душ, переодеться, поесть... Я взяла из кафе контейнеры с едой, знала, что нам будет не до этого, а есть-то нужно. Нам же силы понадобятся.

— Катя, скажи, за что ее могли убить? — Аня опустила свою дорожную сумку на пол, разулась. — Ты что-нибудь можешь мне сказать? Ты же общалась с ней каждый день, знала о ней все.

— Ты сначала иди в ванную, потом сядем за стол, помянем Эмму, тогда и поговорим. Мне прибраться нужно, пропылесосить и протереть полы. Здесь же куча народу была, эксперты, фотографы... Как тебе, кстати, наш следователь? Симпатичный, скажи?

Катя вдруг поняла, что сморозила глупость:
— Извини. Сама не знаю, что говорю.

— Да ладно, Кать, я что, не понимаю, что жизнь не остановилась, что она продолжается? Все мы живые люди. И следователь, как ты выразилась, «наш», очень даже ничего, но главное — он внушает мне доверие. Лицо у него суровое, но мужественное, мне кажется, что он нормальный умный мужик и сделает все для того, чтобы найти убийцу Эммы.

Катя распахнула в гостиной и спальне окна, набрала в ведро воды, взяла тряпку и принялась мыть полы в кухне.

Аня нашла в шкафу чистое полотенце и отправилась в ванную. По дороге заглянула на кухню, к Кате:

— Ты сама занимаешься похоронами? Я готова разделить с тобой все хлопоты и взять расходы на себя, деньги у меня есть.

— Я всегда знала, что на тебя во всем можно положиться, но, слава богу, и у нас тоже есть деньги, да и люди наши готовы помочь... Я присмотрела гроб и венки, но мы все ждем, во-первых, когда нам выдадут тело, во-вторых, ждем приезда родителей Эммы. Ты знаешь, они у нее не простые люди, витают в облаках, а потому, скорее всего, лишь раскошелятся на похороны, что же касается реальных каких-то действий, то я сомневаюсь, что они на них вообще способны. Поэтому я нашла человека, который только ждет, когда я ему дам команду действовать. Но платье я приготовила... Думаю, Эмма одобрила бы мой выбор.

Аня вышла из ванной в голубом махровом халате Эммы, с тюрбаном из полотенца на голове. Катя к тому времени уже закончила уборку и накрывала на стол.

— У нее всегда в холодильнике было что-нибудь вкусное, — вздохнула Катя. — Она так любила готовить. Присаживайся, Анечка. Вот, смотри, тут грибочки, рыбка... И водочка холодная. Давай, родная, выпьем за упокой души рабы божьей Эммы.

Выпили, не чокаясь. Кухня потемнела в сумерках уходящего дня, Катя встала и включила свет.

— Господи, как же мало она успела сделать! У нее было так много планов, проектов! Ты вот думаешь, что она целыми днями занималась своим кафе? Нет, Аня, у нас были большие планы, очень большие, и теперь, когда Эммы нет, а я знаю, что она наблюдает за мной, следит, я должна тебе сказать, что сейчас я в ответе за все то, что мы с ней вместе начинали. Эмма была удивительным человеком, и ты многого не знаешь.

— Она хотела открыть еще одно кафе?

— Нет, все не то...

— Конечно, мы с ней редко виделись, и она вообще по натуре была скрытным человеком, но одно я знаю наверняка — она всегда мечтала стать журналистом, ты же в курсе.

— Да, это так. Но то, чем она занималась последнее время, не связано с журналистикой. Скажем так, она увлеклась искусством, литературой... Знаешь, все-таки многое в нашей жизни зависит от случая, честное слово... И человек, выйдя из дома, никогда не знает, прежним ли он вернется обратно.

— Катя? Ты говоришь загадками... Я ведь чувствую, что ты хочешь мне что-то рассказать об Эмме.

— Однажды она шла по Арбату, хотела купить две или три картины, чтобы украсить кафе. Поскольку она очень далека была от живописи, от искусства и мало что в этом понимала, то она довольно долго ходила, выбирала, не знала, на чем остановиться, и так ничего и не купила. Зашла в кондитерскую выпить кофе с пирогом и оказалась за одним столиком с одним человеком, со стариком. Разговорились. Выяснилось, что кое-что в картинах он смыслит, но тоже, конечно, не профессионал, что он больше по литературной части. Эмма сказала ему, что его лицо кажется ей знакомым, и тогда он достал из кармана маленький томик стихов. Представляешь, она познакомилась с самим Качелиным!

— А кто это?

— Поэт! Очень известный! Его стихи переведены на многие языки мира! А с виду скромный такой, интеллигентный человек, одет очень просто и разговаривает, как выразилась Эмма, «без пафоса». Так вот, Качелин, оказывается, зашел в эту кондитерскую не только для того, чтобы выпить кофе, а купить пироги, чтобы пойти в гости к другу, который живет поблизости от Арбата, в одном из переулков. Он пригласил нашу Эмму, и они вдвоем отправились к этому другу. А друг этот тоже оказался не обыкновенным человеком, а известным писателем-фантастом Родионом Караваевым!

— Вот это имя мне знакомо! Кажется, по его книгам снимали фильмы.

— Да, это он. Вот в такой компании, совершенно, повторяю, случайно, и оказалась Эмма. Она провела в их обществе несколько часов, и, как потом рассказывала, не хотела расставаться с ними, такие это замечательные, интереснейшие люди. Но близилась ночь, пора было возвращаться домой,

Эмма была на машине и предложила Качелину подвезти его домой. И вот тут-то выяснилось, что у Качелина нет дома. Что он ночует у своего друга, сторожа, который работает как раз в той самой кондитерской, вернее, в пекарне, расположенной позади этой кондитерской. Он рассказал, что подарил дочери свою квартиру, чтобы успокоить ее, понимаешь, чтобы она не ждала завещания и все такое... Просто доверился дочери, а она возьми да и продай эту квартиру!

— Как это? А его куда?

— Куда-куда, на улицу, вот куда! Так вот. Караваев зовет его к себе, мол, живи со мной, места много, квартира большая, а Качелин отказывается, его дочь обещала ему купить скромную однокомнатную квартиру где-то в Крылатском, вот он и ждет, надеется. Но обещает она ему уже больше года! И тогда Эмма рассказала ему о нашем «санатории», ну, о том, где я работаю. Спросила его, не хотел бы он пожить временно там, до тех пор, пока дочь не купит ему квартиру. Качелин — гордый человек, он сразу все понял, что речь идет о доме для престарелых, и заплакал, представляешь?! Эмма успокаивала его, сказала, что это хорошее место, где проживает двадцать таких же, как и он, пенсионеров, что это не дом для престарелых, а частный элитный пансионат, расположенный в Подмосковье, в помещении бывшего детского сада, что вокруг лес, есть речка, где можно порыбачить, и что она готова определить его туда и оплачивать его пребывание там. Рассказала о том, какой у нас персонал, какие врачи, медсестры, уход, питание. Он сказал, что деньги у него есть, что он сам может заплатить, но Эмма ему не поверила. Однако, когда она снова появилась у Караваева, который был очарован Эммой и просил ее заходить к нему запросто, Караваев сказал ей, что Качелин, скорее всего, примет ее предложение, потому что эта история с продажей квартиры сильно подорвала его здоровье, что скоро осень, потом зима, и с ним надо что-то решать.

— Но почему он не согласился жить у Караваева, у своего друга?

— Понимаешь, Аня, есть такие люди, которые не хотят быть в тягость, даже своим друзьям. И это — нормально. К тому же мы говорим о необычных людях, понимаешь? Они иначе устроены, у них тонкая душевная организация, и они очень ценят свободу, независимость. А еще Качелин рассказал Эмме, что у Караваева есть внук, который все равно никогда бы не позволил, чтобы у деда кто-то жил, и что внук этот сделан из того же теста, что и дочка Качелина.

— То есть спит и видит, как прибрать к рукам квартирку деда?

— Вот именно!

— И чем же закончилась эта история?

— Качелин поселился у нас, в «санатории», точнее, в пансионате «Солнечный дом». Эмма и без того всегда помогала нам, присылала продукты, а потом, когда там появился такой большой поэт, она стала организовывать выступления поэтов, устраивать литературно-музыкальные вечера, приглашала знаменитых людей, оплачивая их выступления. Хотя, надо сказать, многие отказывались от своих гонораров, когда понимали, где им предстоит выступить.

— Но у вас и санаторий не простой.

— Знаешь, так совпало, что там проживает двадцать, вернее, сейчас с Качелиным двадцать один человек, и практически все они — родители известных людей, у которых есть деньги, но которым некогда заниматься родителями. Я не могу их осуждать... это очень сложный вопрос. Понимаешь, я не уверена в том, что если бы какой-нибудь знаменитый артист оставил своего беспомощного и больного родителя дома, под присмотром сиделки, то ему было бы от этого лучше. Он был бы все равно как бы брошен, одинок. А там у нас собралось целое общество, они дружат, занимаются кто чем хочет. У нас есть большой сад, где многие выращивают цветы или овощи, некоторые удят рыбу, одна женщина вообще решила завести кур, говорит, это всегда была ее мечта... У нас большая территория, мы освободили сарай, купили два десятка кур-несушек, и эта Клавдия Никифоровна кормит их, чистит курятник, собирает яйца на завтрак всей честной компании...

— У вас же частный санаторий?

— Да, существует вполне реальный человек, который не хочет, чтобы кто-то знал об этой его благотворительной деятельности, который доверил мне вести все хозяйство, сделал меня директором, и я несу ответственность за все, что там происходит. Конечно, я еще молода, но когда-нибудь и мы с тобой состаримся, понимаешь? И никто не знает, где и с кем ты останешься в этот период времени. Будешь ли ты окружена близкими и любящими тебя людьми или очутишься среди чужих людей... Думаешь, Качелин мог предположить, что его дочь окажется такой свиньей, которая, вместо того чтобы быть благодарной отцу, на средства которого всю жизнь жила, выставит его, старого и больного, на улицу?

— О чем она вообще думала? Хотя бы в дом для престарелых определила!

— Я так предполагаю, что эта Качелина, кажется, ее зовут Лена, была уверена, что у ее отца много денег и что ему не составит труда купить себе другую квартиру.

— Ну так поговорила бы, объяснила, зачем ей понадобились деньги, какие у нее проблемы... Ладно, не наше это дело... Эмма... Значит, она протянула руку помощи Качелину. Что ж, это вполне в ее характере. Она всегда была очень добрым человеком.

— Ты не хочешь услышать эту историю до конца? — спросила Катя.

— А что, есть продолжение? Надеюсь, Качелин жив и здоров?

— Он-то да, а вот Караваев умер. Неожиданно. И для Эммы это было настоящим ударом. Понимаешь, они настолько подружились, настолько он сумел расположить ее к себе, что Эмма раскрылась перед ним и как начинающий литератор... Я точно знаю, что она возила ему какую-то папку с рукописями, чтобы он оценил написанное, и в случае если он найдет ее талантливой, интересной, то поможет с изданием. Кроме того, он, находясь, что называется, в здравом уме и твердой памяти, составил завещание...

— Что, в ее пользу? — У Ани округлились глаза.

— Да, — поджав губы, сказала Катя. — Но только это не то, что ты подумала. Они затеяли один проект, пригласили меня, чтобы посоветоваться... Проект — грандиозный, удивительный!

— Катя, почему такая неуверенность? Ты что, боишься мне рассказать?

— Нет, не боюсь. Просто не представляю, что будет с этим проектом сейчас, когда Эммы нет.

— ???

— Они купили полуразрушенную усадьбу в Сухово, в прежние времена очень красивую, с парком... Решили реставрировать и организовать там такой же пансионат, что и у нас, и пригласить туда жить забытых и брошенных родственниками людей искусства, писателей, музыкантов, артистов. При хорошем раскладе мы бы приняли пятьдесят человек, а это, согласись, немало!

— А деньги?

— Чтобы не потерять деньги, вкладывая их в какой-нибудь фонд, поскольку никто у нас в этом ничего не понимает, мы решили оформить эту усадьбу как частное владение, на имя Эммы. Она бы так и называлась «Усадьба Китаевой».

— Ты хочешь сказать, что деньги на этот проект были переданы в распоряжение Эммы Качелиным и Караваевым?

— Да, все правильно.

— Тогда я вообще ничего не понимаю. С одной стороны, Качелину негде было жить, а с другой — он был миллионером?

— Качелин жил в пекарне, повторяю, потому что ждал, когда дочь купит ему квартиру. Он до последнего не хотел верить в то, что она вот так поступила с ним... Ему было важно, понимаешь, чтобы она позаботилась о нем, тем более что она реально выставила его на улицу! Ну не укладывалось у него в голове, что люди, тем более близкие, такие, как дочь, могут быть настолько коварными! Ведь это получается, что он сам ее так воспитал...

— Но, может, она попала в трудную ситуацию и у нее не было другого выхода?

— Аня, добрый ты человечек. Какая бы ни была серьезная ситуация, поговори ты с отцом, объясни ему, да он тебе сам денег даст столько, сколько нужно... А так, воспользовалась тем, что он переоформил на нее квартиру, в центре Москвы...

— Ну, ясно тогда... И что потом?

— Караваев признался Эмме, что не хочет, чтобы его внук пустил на ветер все его деньги и квартиру, может, он понимал, чувствовал, что недолго ему уже осталось. Словом, задумали они проект, перевели на личный счет Эммы деньги, выкупили усадьбу, и она начала действовать. Нашла хорошего архитектора, который занялся реставрацией и перепланировкой усадьбы, и успела даже заключить договор со строительной фирмой, уже много лет сотрудничающей с архитектором Болотовым. Вот так и получилось, что большая часть средств, направленных на строительство, Эмма успела перевести на их счета. И работа уже ведется!

— Болотов... Это тот самый Болотов, Борис Болотов, с которым у Эммы начинался роман?

— Да, это тот самый... Ты же знаешь, Эмма была человеком серьезным и к мужчинам относилась с большой долей недоверия, но когда встретила Болотова, просто потеряла голову и отдалась своим чувствам! Знала, что у него жена, понимала, что эта женщина будет страдать, и все равно плюнула на все свои принципы и превратилась из рассудительной умной женщины в бесшабашную, влюбленную по уши девчонку. Ты бы видела, как она изменилась! Она стала по-другому одеваться, причесываться, краситься... Она вся светилась изнутри!

— Так у них был роман в полном смысле этого слова?

— Насколько мне известно, они так и не успели переспать, если ты об этом... Встречались все больше по работе и только один раз устроили пикник, прямо там, в Сухово, рядом с усадьбой. Она рассказывала мне, как ей было хорошо, как они разговаривали, как смотрели друг на друга... Господи, да она была невероятно счастлива!

— Постой... Так, может, жена этого Болотова и убила ее?! Узнала, что муж влюбился в Эмму, на-

Анна Данилова

няла киллера, и тот проследил за Эммой и убил ее, когда она пришла к Зосе в Панкратово?!

— Все может быть. Но ее мог убить и внук Караваева, которому от дедовского наследства достался шиш!

— Слушай, действительно! Если этот внук — его единственный наследник, то можно представить себе, как он мечтал заполучить...

— ...квартиру в старом доме в одном из переулков Арбата плюс творческое наследие деда, его счета в банках, еще какую-то недвижимость, я точно не знаю...

— Обо всем этом надо рассказать Азарову, обязательно. Вот уже нарисовалось два крепких мотива: ревность Болотовой и ненависть внука Караваева! Катя, но теперь, когда Эммы нет, что будет с этим проектом? И кому достанутся все те деньги, которые Эмме доверили Качелин и Караваев?

— Мне, — тихо сказала Катя. — Эмма составила завещание, где практически все завещала мне.

— Тебе? Так это же здорово! Теперь ты сможешь продолжить это дело! — искренне обрадовалась Аня. — Постой... Но у Эммы есть, кажется, сестра, двоюродная, ее зовут Валентина.

— Да, я знаю. С Валентиной тоже не все просто... Понимаешь, она неудачно вышла замуж за какого-то прохвоста, которого любит без памяти. Они по уши в долгах: ипотека и все такое. Еще у них маленький ребенок. Понимаешь, Аня, завещание еще не озвучивали, нотариус, с которым работала Эмма, по моей просьбе ждет приезда ее родителей, чтобы собрались все наследники... Но я-то знаю, что в этом завещании.

— Так ты же мне только что сказала... Что все переходит тебе.

— Нет, не все. Мне переходят ее квартира, усадьба в Сухово, две машины с гаражами, кафе...

— Как хорошо, что кафе тоже теперь твое! — не выдержала Аня, и в глазах ее блеснули слезы. — Оно будет в надежных руках!

— Словом, многое, чем владела Эмма, станет моим, и я сделаю все от меня зависящее, чтобы достроить усадьбу и заселить ее нашими пенсионерами.

— Я знаю тебя, ты все сделаешь самым лучшим образом!

— Я не закончила с наследством... Понимаешь, в завещании есть один пункт, касающийся сестры Валентины. Эмма очень переживала за нее, за ее ребенка, кое-что сделала для сестры. Здесь, неподалеку, продавали пельменный цех, почти даром. Хозяин умер, а жена не захотела заниматься пельменями и выставила цех на продажу. Мы Эммой подумали, что для наших пенсионеров пельмени будут неплохим дополнением к меню, и решили выкупить этот цех, оформив его на двоих — на Эмму и меня. План был таков: Эмма продаст сестре (символично, конечно, в сущности, подарит) половину пельменной, в случае если Валя разведется со своим Игорем и вообще перестанет с ним встречаться, не говоря о том, чтобы вместе жить.

— Ничего себе!

— Больше того, над этой пельменной есть небольшая квартира, которая тоже продавалась, и эту квартиру Эмма, выкупив, завещала Валентине на тех же условиях, но поскольку она не собиралась умирать, то планировала просто поселить там сестру, в случае если она расстанется с мужем. Я даже знаю, где хранится комплект ключей от этой квартиры, и теперь, если Валя примет правильное решение и оформит развод с Игорем, порвет с ним окончательно, то сразу же сможет переехать туда с ребенком, начать новую жизнь и заняться этой пельменной, которая, кстати говоря, работает, и все ее склады-морозильники просто забиты пельменями! Мы пока что не продавали на сторону, реализовывали в нашем кафе, в моем санатории, а потом планировали поставлять и в Суховскую усадьбу.

— И теперь Валя сможет стать владелицей пельменной?

— У нас с ней равные доли, как ты понимаешь. Эмма сделала это для того, чтобы в случае чего Валя не наделала глупостей и не продала, скажем, пельменную... В договоре все прописано таким образом, чтобы обезопасить эту слабую и не очень умную женщину. Чтобы ее муж не раскрутил ее на продажу квартиры, чтобы купить очередную машину или еще что-нибудь...

— Но что помешает ей теперь, когда эта квартира над пельменной принадлежит ей, оформить с Игорем развод и поселиться там с ним же или просто сдавать ее, продолжая с ним жить? Кто может проконтролировать эту ситуацию, это условие, чтобы оно было выполнено?

— Никто. Только она сама, — вздохнула Катя. — Но это уже другая история. Это ее судьба. Эмма дала ей шанс наладить свою жизнь, а уж воспользуется она им или нет — это ее дело.

— Господи, как же много она успела сделать за свою недолгую жизнь! — воскликнула Аня. — Послушай, у меня ведь тоже было к ней дело. Понимаешь, не так давно у сестры моего мужа случилось такое, после чего я задумалась над своей дельнейшей жизнью... Ее зовут Ирма. Она — чудесная молодая женщина. Еще очень умная. Они прожили с мужем в браке почти десять лет, и все у них было как будто бы прекрасно. И тут вдруг выясняется, один их общий друг ей сообщил, что Габриэль, так зовут ее мужа, уже шесть лет находится в связи с ее лучшей подругой, Лорой. А эта Лора дневала и ночевала у них дома, была постоянной гостьей. Ну просто своим человеком! Они всегда были вместе, всегда! Куда Ирма с Габриэлем, туда и Лору брали.

— А зачем? У нее муж-то есть?

— Да и муж, и сын-подросток!

— А может, все это неправда?

— К сожалению, правда. Все потом много раз подтвердилось, и это удивительно, что Ирма не прибила ту гадину... Но она выше этого, она просто перестала отвечать на ее звонки, просто вычеркнула ее из своей жизни. А вот с Габриэлем потруднее... Дело в том, что они жили в доме, который достался

Габриэлю от родителей, то есть он не является их совместным имуществом, и Ирма, решив уйти от мужа, не может претендовать на жилье... Конечно, мы взяли ее к себе, и она сейчас живет у нас, пытается как-то жить, устроилась на работу официанткой в бар, и это при том, что она никогда прежде нигде не работала. Вот я и подумала, надо бы ей купить какой-нибудь небольшой бизнес, да хотя бы выкупить тот же бар, в котором она работает, чтобы она почувствовала себя увереннее в этой жизни. Чтобы забыла, что такое — зависимость от мужа-предателя. Она очень тяжело переживает, конечно, этот развод...

— Значит, она решила развестись?

— Безусловно! Там ни о каком прощении и речи быть не может. К счастью, они еще не успели завести детей...

— Аня? Ты хочешь сказать, что в твоей красивой голове забродили тоже кое-какие мыслишки относительно бизнеса? У тебя проблемы с Миклошем?

— С Мики? Нет, слава богу... Но ведь и у Ирмы тоже, как ей казалось, не было никаких проблем, и она чувствовала себя счастливой. Да, Катя, я хотела вложить свои деньги в кафе Эммы, ну или придумать какой-нибудь совместный с ней проект. Одна я точно не потяну, да и присутствовать здесь, в Москве, тоже не смогу, но вот вложить деньги, чтобы они работали, — это моя мечта. Так я буду чувствовать себя безопасно, что ли... Теперь, когда Эммы нет и ты стала владелицей кафе, быть может, ты захочешь помочь мне в этом вопросе и мы что-нибудь придумаем вместе? И еще... Вот эта усадьба. Понятное дело, что когда Эмма была жива, она знала, на какие средства будет существовать этот, назовем, интернат для пенсионеров в Сухово... Кстати, ты в курсе, где она собиралась брать деньги для содержания этих пятидесяти человек?

— Конечно. Она не собиралась нигде регистрировать усадьбу как интернат, санаторий или тем более дом для престарелых, нет! Это планировалось оформить как частную собственность, такой вот огромный дом, в котором есть очень уютные комнаты для постояльцев (не знаю, как правильно их называть), медицинские кабинеты, где будут работать по договорам врачи и медсестры, кухня, которая, в сущности, будет как бы частью нашего кафе, понимаешь? Чтобы никаких проверок. Никакого вмешательства извне... Люди живут там как друзья, как родственники. Неважно. Они не будут платить ни копейки. Такая вот мощная благотворительная и продолжительная акция, такой вот вклад...

— Это не утопия?

— В какой-то степени — да. Но у нас есть юристы, они будут консультировать... Ух... Видишь, говорю «у нас», потому что не могу привыкнуть к тому, что Эммы нет.

— Но деньги? Откуда будешь брать деньги, чтобы содержать Сухово?

— Прибыль от кафе плюс литературное наследие Караваева...

— А может, следует все-таки организовать фонд, скажем, имени Караваева, куда впоследствии будут стекаться поступления и от общественности, от частных лиц? Ведь вы же с Эммой задумали потрясающее дело, и у вас могут появиться единомышленники, помощники!

— Да, мы с Эммой тоже об этом думали, советовались с Качелиным... Он смог бы возглавить этот фонд... Как видишь, работа предстоит большая, и все это теперь лежит на моих плечах. Как и ответственность.

— Думаю, твоим помощником может стать Василиса, Эмма всегда отзывалась о ней в превосходной степени.

— Да, я тоже так думаю.

— Так что со мной? Я готова вложить двести тысяч евро.

— Надо подумать. Есть у меня одна идея, вернее, она только что появилась. Что, если открыть здесь венгерскую кондитерскую, где могли бы выпекаться какие-нибудь чисто венгерские булочки, пирожные, пироги...

— Торты Куглера, творожные ватрушки, блинчики, торт «Добош», «Пьяная вишня», пирожное «Жербо», марципаны... Да много чего хорошего, оригинального и вкусного!

— Вот и подумай, чем мы с тобой могли бы заняться. Но что бы ты ни придумала, пекарню или кондитерскую, ты должна быть там сама хозяйка, а я тебе помогу: и советом, и специалистами, и юристами, словом, ты меня поняла. Поверь мне, хозяин должен быть один, так проще, удобнее, и нет риска испортить отношения, я это уже проверяла... Исключением была Эмма, но ее больше нет... Ты не обижайся, Анечка, и дело не в том, что я тебе не доверяю или еще чего, нет, просто так нам будет проще, легче.

— Что ж, идея отличная. Я подумаю.

— Походи, погуляй по Москве, посмотри на кондитерские, кафе, открой Интернет, посмотри, нет ли здесь венгерских пекарен...

У Ани замурлыкал телефон.

— Нора! Господи, мы же про нее совсем забыли! — прошептала Аня, наигранно-испуганно открывая телефон. — Нора?

И она перешла на венгерский. Недолго говорила, после чего утвердительно кивнула головой и выключила телефон.

— Она проспала все это время... В гостинице! Как, говорит, легла, так и провалилась в сон. Она говорит, что чувствует себя очень одиноко, ей страшно, и она просит меня приехать к ней. Но я пригласила ее сюда. Надеюсь, ты не против?

— Конечно, нет! — засияла глазами Катя. — Она сможет объяснить таксисту, где мы находимся?

— Ну конечно, у нее же есть адрес. Из аэропорта сюда она как добиралась?

— Действительно. Что ж, хорошо. Здесь много места, где мы все сможем остаться ночевать.

— И ты тоже останешься тут? — обрадовалась Аня. — Послушай, что-то у меня голова кружится... Опьянела совсем. Знаешь, вот сейчас приедет Нора, мы все хорошенько выпьем, вызовем такси и пое-

Анна Данилова

дем к этим, как их... Болотовым! К жене Болотовой, поговорим!

— О чем, Аня?

— Да это точно она ее убила. Я же рассказала тебе историю предательства Ирмы... Ты бы видела, что с ней творилось, когда она узнала, что у Гарбиэля есть другая женщина. Она просто сходила с ума, строила планы мести, и, что самое главное, она собиралась убить свою соперницу. Эту даму, любовницу Габриэля, зовут Лора, я знакома с ней, у нее небольшой парфюмерный магазинчик неподалеку от нашего отеля... Так вот, Ирма собиралась ее убить, правда! Она сама звонила мне и рассказывала, как бы она это сделала, каким способом. Она ей и отраву подливала, и нанимала киллера, и сталкивала в пропасть, и прокалывала колеса ее автомобиля...

— Аня, остановись, это ты к чему сейчас? — Кате вдруг пришло в голову, что Аня рассказывает не о своей родственнице Ирме, а о себе, о своей драме, произошедшей в ее жизни с Мики. — Ты придумала эту Ирму? Это тебя обманул твой Миклош?

— Что ты, Катя, бог с тобой! — Аня с вытаращенными глазами даже перекрестила ее. — Я действительно рассказала тебе про Ирму. И сделала это специально для того, чтобы ты поверила, что женщина в ревности, обманутая женщина, жена вроде Болотовой, способна на убийство.

— Ну хорошо. Думаю, что у Азарова побольше нашего будет опыта с подобными мотивами. Вот пусть он и разбирается. Или у тебя есть какие-то конкретные предложения?

— Может, нам нанять частного детектива, ну, из бывших следователей, полицейских, сейчас многие из них работают самостоятельно, у них и опыт имеется, и связи. Заплатить такому специалисту, чтобы он проверил хорошенько эту Болотову, ее алиби и все такое. Ну там телефонные звонки, ее связи, встречи с возможным киллером.

— Идея, конечно, неплохая, но мне почему-то кажется, что Болотова ни при чем. Больше того, я все-таки склонна предполагать, что нашу Эмму убили случайно, я уже тебе говорила.

— Да понимаю я все, Катя. И мне тоже так кажется, но вот когда вспоминаю Ирму и ее чувства, то в голову лезут разные мысли...

— А может, поехать нам с тобой в Панкратово и попытаться расспросить местных жителей об этой Зосе?

— Ух ты! У тебя идея еще лучше! На самом деле про Эмму-то мы всё знаем, и вряд ли у нее были враги, ну, если только эта Болотова-ревнивица. А вот про Зосю мы знаем очень мало, лишь то, что она ворожила, лечила людей, предсказывала будущее... А что, если она, предположим, приготовила какое-нибудь приворотное зелье и разрушила тем самым семью? А брошенная жена, узнав об этом и решив, что во всех ее несчастьях виновата Зося, убила ее?!

— Да, я тоже об этом думала. Вот взять хотя бы Нору...

— Нору? Думаю, что и она тоже рассчитывала, что Зося даст ей какое-нибудь зелье...

— Аня, она что, дура? — Катя возмущенно покрутила пальцем у виска. — Нора — современная и очень умная женщина! И Эмма вряд ли пообещала ей, что Зося даст ей подобное зелье, это же полный бред!

— Но мне-то она давала какую-то микстуру... — тихо произнесла Аня. — Нет-нет, не приворотное зелье, конечно, но что-то такое, какой-то настой трав, который придал мне силы, улучшил настроение... И прямо скажу, что если бы она дала мне какую-нибудь настойку, ну, в случае, если бы Мики меня разлюбил и я это почувствовала, то я поверила бы Зосе и принимала бы ее по схеме...

— Как в сказке?

— Да, представь себе. Мы ничего не знаем о таких людях, как Зося, которые лечат людей, заглядывают в будущее... Они обладают, может быть, какими-то биополями или способностями, которые нам не дано даже осмыслить!

— Ладно, давай закроем эту тему. Может, ты права, и Зося на самом деле причинила кому-то вред или кто-то из ее клиентов или клиенток так решил... Понимаешь, убили двух женщин, хороших женщин, значит, существует кто-то, кто пожелал смерти одной из них. Одной, понимаешь?

Раздался звонок в дверь, пришла Нора. Посвежевшая, бодрая и очень серьезная. Одета была просто: синие джинсы и серый тонкий свитер. Увидев Аню, родное лицо, она бросилась к ней, и подруги обнялись.

— Мне все кажется, что это сон... Что мы сейчас увидим Эмму! — сказала Нора, и глаза ее наполнились слезами. — Это я, я во всем виновата! Она не должна была ехать договариваться с Зосей... Мы должны были поехать с ней вместе!

— Водки? — спросила Катя.

— Да, водки. И у меня идея — поехали в Панкратово. Этот следователь, Азаров, он ничего не знает о Панкратово, о Зосе, он копается здесь, в Москве, ищет мотивы убийства Эммы, а нам надо встретиться с другим следователем, не знаю, как его зовут, чтобы понять, кто и за что мог убить Зосю. Он лучше знает местных, к тому же у него уже есть какая-то информация о ней, о том, кто мог ей желать смерти. Он работает в том направлении, которое мне кажется более перспективным!

— Ну ничего себе! — удивилась Катя. — Мы только что об этом говорили с Аней! Но не будет ли это выглядеть по-идиотски? Три подвыпившие особы едут в деревню, ночью, чтобы побеседовать со следователем, имени которого мы даже не знаем?!

— Я могу позвонить Азарову прямо сейчас и спросить фамилию того следователя, — предложила Аня.

— Нет, все это как-то глупо... — сказала Катя. — Думаю, мы сможем узнать фамилию этого следователя более простым способом. Просто позвоним в районную прокуратуру, в Луговское, в чьем ведении находится Панкратово, и спросим номер телефона и фамилию следователя, ведущего дело об убийстве Зоси Левандовской, скажем, что у нас есть важная информация. Уверена, нам сообщат и его фамилию, и номер телефона... Думаю, там все на ушах стоят от этих убийств, и они с радостью назовут фамилию следователя, его телефон, а может быть, и адрес!

В Интернете нашли номер телефона Луговской прокуратуры, Аня позвонила, зловещим шепотом попросила дежурного связать ее со следователем, ведущим дело об убийстве Зоси Левандовской, на что ей вполне резонно ответили, что следователь сейчас дома, отдыхает, и что связаться с ним можно будет только завтра.

— Я знаю, кто убил Зосю, — сказала, входя в роль героини криминального фильма, Аня. Ее реальные переживания на время были затуманены алкогольным куражом.

— Записывайте, — мгновенно отреагировали в телефоне. — Его фамилия Евсеев, зовут Михаил Евгеньевич. Телефон...

Аня быстро нацарапала номер телефона Евсеева. Глаза ее были влажны, губы улыбались.

— Девчонки, ну что, поехали? Катя, ты вроде бы почти ничего не пила...

— Как же, пила! — тряхнула головой Катя. — Если меня остановят и проверят — лишат прав.

Нора застыла с рюмкой водки в руке:

— Ну ладно, тогда не буду пить... Дело-то важное!

Она поставила рюмку на стол, подцепила вилкой кусочек маринованной селедки, положила в рот и заела черным хлебом.

— Не зря же я сюда приехала! Если по моей, пусть и косвенной, вине Эмма оказалась в Панкратово, где погибла, то я должна сделать все от меня зависящее, чтобы помочь следствию разыскать убийцу... Убийство — какое страшное слово. Аня, Катя, погрызите кофейные зерна... Водка, конечно, вещь хорошая. Но все-таки... Ну что, поехали?

11. Борис Болотов

Квартира была погружена в темноту. Тишина облепила мою голову, словно ее обмотали ватой. Хоть бы вода капала из крана, все-таки звук, движение, жизнь, реальность. Смерть притаилась в темных углах гостиной, где я лежал, как мертвый, на диване, и не было никакой разницы, открыты мои глаза или закрыты — кругом черно.

Мой мозг отказывался принять реальный факт, что Эммы больше нет. Судьба послала мне ее как глоток чистого воздуха, словно ангел спустился с небес и присел на краешек моего одиночества. Я как увидел ее, парящую, летящую, с развевающимися волосами, источающую какую-то внутреннюю силу, так сразу моя грудь, там, где сердце, наполнилась теплом и кровь забурлила по жилам. Помнится, я сразу поднялся ей навстречу и едва удержался, чтобы не обнять ее — настолько я почувствовал, что она моя, что это родной мне человек.

Я предложил ей сесть напротив в удобное кресло, распорядился, чтобы ей принесли кофе, и, разглядывая ее, даже склонил голову набок, как если бы приготовился слушать ее долго, несколько часов.

Она была свежа и прекрасна, розовый румянец заливал гладкие щеки, глаза ее, цвета пропитанной солнцем осенней листвы, блестели. Золотистые волосы были слегка растрепаны, словно она приехала в кабриолете и ветер наполнил их утренней прохладой.

Она говорила с легкой улыбкой на лице, как человек, заранее знающий, что у него все получится и что если не сложится здесь, в нашей архитектурной конторе, то к ее услугам будут наши конкуренты.

Она показала мне фотографии полуразрушенной дворянской усадьбы, которых в России осталось не более трехсот. Память о царском времени, о праздной и красивой жизни избранных, о вкусе тогдашних архитекторов и нескромных желаниях хозяев. Мысленно я задавал ей один и тот же вопрос: в вас забурлила дворянская кровь? Эта усадьба имеет отношение к вашей родословной? Но так и не спросил. И правильно сделал, потому что она достала из своей папки рисунки — схемы, план, какой ей видится отреставрированная усадьба, и я чуть не свалился со стула, на котором сидел, пересев к ней и ее бумагам поближе. Внутренность усадьбы была разделена ее решительным карандашиком на пятьдесят отдельных небольших комнат плюс какие-то подсобные помещения, огромная кухня, терраса, балконы и хозяйственные постройки на заднем дворе усадьбы. Подняв на меня свои большие глаза, она попросила меня сохранить наш разговор в тайне, поскольку не хотела, чтобы кто-то узнал о ее проекте раньше времени.

— Но и не рассказать вам, во что я хочу превратить этот дом, почти дворец, я тоже не могу, потому что это жилище довольно специфично... Это дом для пятидесяти художников, оставшихся за бортом жизни.

— Художников?

— Я имею в виду художников в широком смысле этого слова, — уточнила она. — Для творческих людей, оставшихся без крова или средств к существованию. И для тех, кто сам пожелал бы жить там, понимаете?

— Это хорошо, что вы объяснили мне, кто там будет жить, поскольку это имеет большое значение, — произнес я.

— Вы — первый, к кому я пришла, я читала о вашем бюро в Интернете, смотрела портфолио, и мне очень понравились ваши работы. Не скрою, я посмотрела и одну из ваших последних работ вживую, на Петровском бульваре, вы там отреставрировали особнячок, просто сказка! Вот поэтому я здесь.

— Хорошо, мы подготовим вам свой проект перепланировки, несколько вариантов отделки, вы посмотрите, выберите, и тогда начнем работать.

Она так улыбалась, что стены в комнате становились светлее, и солнце, словно раздвинув ветви качающихся за окнами тополей, залило все вокруг. Я смотрел на нее, и желание прикоснуться к ней, потрогать ее шелковистую кожу, чтобы убедиться, что она женщина, а не солнечное видение, охватило меня. И мне не было уже дела ни до усадьбы, ни до проекта, ни до чего. Я мысленно усадил ее к себе на колени и целовал розовые губы, зарывался лицом в золотистые волосы. Ни одну женщину я так не желал, как ее. Когда же она назвала мне свое имя, уже перед самым уходом, я вдруг понял, что более гармоничного существа, которому бы так подходило это тягучее, медовое и роскошное имя Эмма, в природе не существует.

Эмма. Эмма Китаева. Золотой с оранжевым и зеленым орнамент на старинной фреске — вот как я воспринимал ее имя.

Она ушла, заполнив комнату ароматом своих духов и сухим постукиванием каблучков, и я некоторое время не мог поверить, что на меня свалилась такая громада счастья — возможность снова увидеть ее, слушать ее голос, дышать одним с ней воздухом. Любовь наполнила меня невиданной силой, и я сам, лично готовил варианты проектов, долгими часами чертил, рисовал, а потом переносил на экран компьютера свои фантазии.

Я ничего не знал об Эмме, но хотел знать все, поэтому нашел человека, который быстро собрал о ней информацию: кто она, с кем живет, чем занимается, все-все! И вот уже через пару дней на моем столе лежали профессионально сделанные снимки Эммы, большие цветные фотографии ее нежного лица, ее порывистых движений, ее озабоченного взгляда, улыбки...

Она была образованная молодая женщина, не успевшая стать журналисткой по воле случая, но ставшая владелицей уютного кафе «Эмма» в Кузьминках. Конечно же, я поехал туда в надежде увидеть ее, поймать ее взгляд. Я завтракал, обедал и даже ужинал там, не узнанный, сидящий в полумраке за огромной пальмой прожорливый посетитель, не сводящий взгляда с барной стойки, уверенный, что она должна появиться именно оттуда. Лишь через два дня мне повезло и я увидел ее, но не у бара, она вошла в кафе уверенной походкой, с полевыми цветами, к ней тотчас подлетела официантка и приняла из рук букет, отошла в сторону и принялась разбирать на маленькие букетики, которые потом на моих глазах ставила в прозрачных вазочках на столики с белыми скатертями.

— Эмма! — тихонько позвал я ее, когда она спустя полчаса снова появилась в зале, но уже в длинном зеленом фартуке. Волосы ее были заколоты высоко на затылке.

Она повернула голову, увидела меня, и я заметил, как она смутилась и какими-то нервными движениями словно стряхивала с фартука брызги воды, застыла передо мной.

Анна Данилова

— Вы? Что вы здесь делаете?

— Пожалуйста, присядьте! Я приехал, чтобы увидеть вас.

Вообще-то я не собирался признаваться ей в этом, хотел сказать, что просто проезжал мимо, голодный, и решил перекусить в первом попавшемся кафе. Но кто-то умный внутри меня не позволил мне совершить эту глупость.

Она присела рядом.

— Знаете, а я тоже хотела видеть вас... — Ее лицо порозовело, она улыбнулась, и я увидел ее белые зубки. Чудесная женщина, настоящая красавица!

Мгновенье счастья, переполнявшего меня, когда я услышал ее признание, было прервано появлением назойливой, как мне тогда показалось, официантки, которая с видом доверенного лица хозяйки что-то шепнула ей на ухо. Эмма кивнула головой, и та отошла.

— Я женат, но это ничего не значит, — зачем-то сказал я, и теперь уже была моя очередь краснеть.

— А я не замужем. — Она смешно сморщила свой аккуратный носик, как бы извиняясь за то, что еще свободна.

— Я хотел бы встретиться с вами.

— Ну вот поедем в Сухово, там и встретимся! — И снова эта обворожительная улыбка.

Она согласна была на свидание, понял я, и решил, что она дает мне шанс.

— Эмма, такое красивое имя. — Я подрядился произносить глупости, одну за другой.

— Ну да, Эмма Бовари... Это в честь нее меня так назвали... — И она тихонько расхохоталась. — Ладно, Борис Константинович...

— Борис! Зовите меня просто Борис! — взмолился я.

— Ну хорошо, Борис. Мне надо идти. Привезли продукты, я должна все проверить... Кстати говоря, как вам наше кафе, меню? Что-нибудь понравилось?

— Не то слово! Венгерский гуляш...

— Паприкаш, — мягко поправила она меня. — Венгерский паприкаш, этот рецепт я привезла из Венгрии.

— Очень вкусно и сытно. А еще яблоки в тесте! Великолепно!

— Я рада!

— Я позвоню вам, Эмма, когда определюсь со временем нашей поездки.

— Хорошо, я буду ждать. — Она склонила голову и замерла, словно фотографируя меня своими медовыми глазами.

Кажется, это было в другой жизни или очень давно. А ведь прошло всего несколько дней. Не могу принять, понять, осознать, что ее нет. Так не бывает. Мне подарили ее в общей сложности на несколько часов, словно для того, чтобы я понял, что такое настоящая любовь, прекрасная женщина, надежда на счастье, страсть, освещенная солнцем длинная дорога в будущее. И резко отобрали, чтобы я познал, что такое горе, страдание, настоящая, наполняющая чернотой сердце беда, разочарование, боль, тупик.

Моя любовь к Эмме разрушила во мне все построенные мною же ограничения и основы приличия по отношению к моей жене, Марине, жизнь с которой в последний год особенно тяготила меня. И только моя нерешительность и жалость, которую я к ней испытывал, не позволяли мне порвать с ней, подать на развод.

Между нами никогда не было душевной близости, понимания, того тепла, что хочет получить от женщины мужчина. Я понимал, что брак для Марины является защитой от внешнего, полного невзгод и лишений, мира, и что само понятие «брак» стало для нее, особенно в последнее время, синонимом уютной, комфортной и полной благ квартирой, которую, кстати говоря, после развода я намеревался ей оставить.

Я знал, что она воспринимает меня исключительно как своего благодетеля и защитника, человека, способного простить ей абсолютно все, даже измену. То, что она выдавала в течение нескольких месяцев своего любовника за ученика, казалось мне верхом непристойности и цинизма. Вероятно, ослепленная своим плотским счастьем с ним, она потеряла всякое ощущение реальности происходящего и считала меня полным идиотом, да к тому же еще и слепым! Однако, встретив Эмму, я уже иначе воспринимал этот ее роман с мальчиком по имени

Саша, и его присутствие в жизни Марины воспринималось мною как прекрасный способ расстаться, наконец, с женой, причем бескровно.

После пикника, который положил начало нашим с Эммой нежным отношениям, мой план по соединению с ней был простым: я оставляю квартиру жене, и мы с Эммой переезжаем в мой новый, недостроенный дом в Горках.

Я так торопился рассказать Эмме об этом, что сделал это прямо там, в Сухово, между грушами и виноградом, которыми мы кормили друг друга с рук.

Сейчас-то я понимаю, что мы с ней спешили невероятно, словно откуда-то знали, что через два дня ее не станет. Хотя никакого предчувствия, волнения не было. Было одно огромное, необъятное, как летнее бездонное небо, счастье. Была любовь, было взаимное влечение, и никто не знает, как я сожалею о том, что после пикника, заехав на чашку чая к ней домой, я не посмел пойти дальше своих осторожных ласк и касаний. Что-то происходило со мной, болезненная робость, страх быть отвергнутым или высмеянным — и я пришел в себя уже в машине, с ужасом поглядывая на окна моей ласточки, понимая, что упустил такой шанс доказать ей свою любовь. С другой стороны, мое малодушие успокаивало меня, баюкало мою досаду тем, что, возможно, Эмма как раз оценит эту мою нерешительность совершенно по-другому, оденет ее в благородные одежды, сделает меня в ее глазах героем сентиментального романа, что совсем неплохо! Сегодня не смог, но есть завтра, когда я смогу позволить себе быть страстным, напористым и даже грубоватым. И Эмма станет моей!

А завтра не было. И послезавтра тоже. И не будет. И теперь я увижу Эмму только на похоронах, в гробу. Смешаюсь с толпой скорбящих, и хорошо, если есть загробная жизнь, и Эмма, глядя на меня сверху, с прозрачного облачка в прозрачных одеждах, улыбнется мне, мол, ты пришел, я рада, Боря...

...Звонок разрезал ночь, как электропилой. Я вскочил, дрожа всем телом, включил свет. Марины дома не было, она днем позвонила мне и сказала, что едет на дачу, что следовало переводить на язык самой грубой и реальной жизни: я с любовником, меня не беспокой, еда в холодильнике, а ты дурак.

Включив свет, я добрел до двери, заглянул в глазок и увидел Сашу. Серые, коротко стриженные волосы, белая курточка с капюшоном.

Шальная и опасная мысль, что теперь настала очередь Марины (исчезнуть, раствориться, улететь на небо), заставила меня похолодеть от ужаса. Я распахнул дверь.

— Что с ней? — спросил я, хватая его за безвольную руку и втаскивая в прихожую. — Она жива?

— Кто? Марина?

— Нет, дядя Петя с мыльного завода! — заорал я на него. — Она же с тобой укатила на дачу, сукин ты сын!

— Нет, я ничего не знаю про дачу.

— Чего тогда пришел?

— Поговорить, — промямлил он.

— Входи. — Я с трудом сдерживался, чтобы не врезать ему. Пригрелся, прикормился, с кем затеял игру, мальчишка?! Наверняка все, что на нем, включая трусы, куплены на мои деньги. Какая мерзость!

Кухня, вся в бело-голубых тонах, напоминала медицинский кабинет. Я достал водки, плеснул себе и Саше.

— Говори! Уж не жениться ли надумал? — Усмешка искривила мой рот.

— Это она убила Эмму Китаеву, — вдруг услышал я и на какой-то миг окаменел. Даже шею повернуть не смог.

— Повтори, что ты сказал?

— Мы были там, в Сухово, она все видела, вас и Эмму, вас вместе... Она еще тогда сказала мне, что убьет ее. Я Марину отговаривал, но она... с ней невозможно было спорить, она уперлась... Мы заехали в хозяйственный магазин, и она купила там крысиный мор. Потом всю дорогу домой плакала и планировала, как она ее убьет, как растворит яд в кофе или еще в чем... Она была не в себе. Я с трудом ее успокоил, пришлось даже дать успокоительное. Она уснула. И я вернулся к себе домой. А на следующее утро она позвонила мне и сказала, что мы едем в Панкратово, что Эмма там, ей это точно известно!

— Но как она узнала? Она не могла этого знать! — вскричал я, не желая верить услышанному. — Это просто невозможно! Ты хочешь сказать, что сам отвез ее туда?

— Да. — Он опустил голову. — Она сказала мне, что хочет просто поговорить с ней. Ну я и подумал, что в этом нет ничего страшного...

— А ты не подумал, почему она не может поговорить с ней здесь, в Москве?

— Если бы она сказала мне полететь в космос, я бы полетел с ней, — буркнул он.

— Когда это было?

— Третьего августа.

— Куда ты ее привез?

— В Панкратово, в лес. Я хотел подождать ее там, но она сказала, что ее не нужно ждать, что разговор будет долгим и что потом, когда все будет кончено...

— Она так и сказала: кончено?

— Да, она так сказала, но я сначала не понял... Ну не мог я поверить, что она способна на такое...

— Она была не в себе? Ты видел, что она не в порядке, и что? Ты уехал?

— Да она так орала на меня! Оскорбляла, наговорила мне кучу гадостей... Я разозлился и уехал. Подумал, что, может, это и к лучшему, что меня там не будет. Я вообще ни при чем. Я просто привез ее. Это мог сделать любой таксист.

— Значит, ты уехал, и что потом? — Новая беда наваливалась на меня всей тяжестью, мой мозг отказывался воспринимать картину убийства в лесном доме, где моя женушка, исполняя главную роль, орудует окровавленным ножом, всаживая его в разные части двух ни в чем не повинных молодых женщин. — Ты хотя бы знал, Эмма уже там или нет?

— Я не знаю... Мы въехали в лес, я высадил Марину и по ее просьбе уехал.

— И что было потом? Она тебе звонила? Ты видел ее после этого?

— Да, на следующий день. Но, думаю, и вы тоже видели ее, уже четвертого, утром?

— Я не видел ее, — заскрежетал я зубами, вспоминая, как, договорившись о встрече с Эммой на пятое августа, у нее в кафе, я весь остаток дня, вечер и половину ночи провел за компьютером, работая над ее усадьбой. Я позвонил домой и предупредил Марину, что не приеду ночевать, что посплю в своем кабинете на диване. Марина еще возмутилась, сказала, что не уверена, что я буду на работе, на что я смалодушничал, ответив ей, что она всегда может позвонить мне по стационарному телефону и проверить. Получается, мы обменялись с ней саркастическими шутками. Но факт оставался фактом — меня не было в ночь с третьего на четвертое дома. И ко мне еще придут (просто время еще не пришло, все силы сейчас брошены на ближний круг моей возлюбленной), станут задавать вопросы, а не убил ли я Эмму, ну-ка, признавайтесь, господин Болотов, и где это вы были в ночь с третьего на четвертое? И получается, что ни у меня, ни у моей жены нет алиби!

— Вас не было дома? — Саша обхватил руками голову. — Значит, вы не сможете подтвердить ее алиби...

— Не то говоришь, мальчик, — прорычал я. — Значит, ее не было дома и она убила Эмму.

— Но почему? Вы же сами только что сказали, что вас не было дома, а что, если она вернулась, после Панкратово? Поговорила с Эммой и вернулась?

— Ночью? На перекладных? Или на помеле, как ведьма? Или ты думаешь, что она нашла в деревне такси?

— Я тоже уже ничего не понимаю... — выдохнул воздух Саша, как если бы он был резиновым проколотым мячом. — Вот вы мне теперь хоть что говорите, но я сделал правильно, что послушался ее и уехал из Панкратово. Иначе я пошел бы как соучастник.

Кровавая туча нависла над нашей семьей или тем, что от нее осталось. И мне меньше всего хотелось, чтобы Марина оказалась в тюрьме. И, конечно, самое главное — я не верил, что это она зарезала Эмму и ту, другую женщину, Зосю.

Однако если Саша откроет рот и расскажет следователю о том, что сам лично отвозил Марину в Панкратово, после чего Эмма, потенциальная ее соперница, была убита, этого будет вполне достаточно для того, чтобы сначала завели на нее дело, а потом и повесили на нее два убийства. Понятно же, что она хотела лишь поговорить с Эммой, возможно, даже покричала, пошумела, устроила сцену, но потом-то ушла, уехала, убежала... Села на электричку и вернулась домой.

— Я должен позвонить Марине, — подумал я вслух.

— Не надо этого делать.

— Но где она сейчас?

— Я думаю, что она спряталась... Затаилась. Она боится, понимаете? И вы не должны показать ей, что вы знаете о том, где она была в ночь убийства.

— Саша, обещайте мне молчать!

— Но меня же вызовут к следователю... Подруги Эммы расскажут следователю о вашем романе...

— У нас не было никакого романа, что это еще за глупости!

— Борис Константинович... Вы были влюблены в Китаеву, и многие видели вас вместе. К тому же у Марины есть снимки, сделанные в Сухово...

— Но она ж не идиотка, чтобы показывать их следователю? Постой... Ты зачем пришел сюда, ко мне? Где Марина?

— Я не знаю, но как я уже вам только что сказал, я предполагаю, что она где-то прячется... Вы ее муж, вы должны ей помочь. Вы должны хотя бы поговорить с ней, тогда и вы тоже будете в безопасности: она подтвердит ваше алиби. А вы — ее.

— Так зачем ты пришел ко мне?

— Я вообще не имею к этой истории никакого отношения. Я хочу уехать. Подальше от Москвы.

У меня еще вся жизнь впереди, не надо вмешивать меня в ваши любовные отношения и убийства!

— И это говоришь мне ты — любовник моей жены, который столько времени выдавал себя за ее ученика? — Я едва сдерживался, чтобы не схватить его за ухо и не потрепать как следует.

— Мы никогда не были с ней любовниками. Я этого хотел, это правда, а она — нет. Она всегда любила только вас. Борис Константинович, помогите мне уехать. Вам же будет спокойнее.

— Так кто тебя держит?

— Но у меня нет денег.

— Так ты пришел ко мне за деньгами?

— А вы как думали? Ваша жена втянула меня в эту историю, и теперь вы отказываетесь дать мне денег, чтобы я мог уехать? Вы что, серьезно? Пускай вы не любите вашу жену и вам все равно, что с ней будет. Возможно, вы даже вздохнете с облегчением, когда ее посадят в тюрьму, но как же ваша репутация? Ваша жизнь рухнет, все от вас отвернутся... Газеты будут пестреть вашими с Мариной фотографиями... «Известный архитектор Борис Болотов нанял самого лучшего адвоката для своей жены — убийцы его любовницы...»

— Послушай, сучонок, я тебя сейчас убью! Ну, чтобы газеты «пестрели», как ты говоришь, заголовками... «Муж убил любовника своей жены, маленького и гадкого альфонсишку...»

— Девять тысяч евро, и вы не увидите меня в ближайшие двенадцать месяцев, — произнес он довольно уверенно, как человек, знающий достаточно много для того, чтобы не сомневаться в благополучном исходе дела.

И тут до меня дошло, что он пришел просто развести меня на деньги. Решил воспользоваться ситуацией и на гребне всех этих волнений, сомнений и переживаний нажиться еще и на мне, словно моей жены ему было мало.

— Нет, милый Саша, мы поступим по-другому. Это ты мне раздобудешь десять тысяч евро, чтобы я помалкивал о том, что это ты отвез Марину в Панкратово. Больше того, если меня спросят, кто ты такой и что тебя связывает с моей женой, я отвечу, что вы любовники и что вы вместе с Мариной спланировали это убийство... Да, я признаюсь в том, что мы с Эммой собирались пожениться, и я сообщил Марине о том, что мы с ней разводимся и что я намерен оставить ее без средств к существованию, и вот поэтому вы решили убить Эмму, чтобы помешать нашим планам... И вообще я сейчас озвучил тебе план, который созрел в моей голове буквально за несколько секунд, а представляешь себе, что я смогу еще выдумать, если хорошенько подумаю? Так где сейчас Марина?

— Я не знаю... — кисло промямлил он, как-то обмяк и теперь сидел за столом с видом разочарованного в первой любви подростка. — Ее телефон не отвечает. И уже давно.

— Ты про Панкратово все выдумал?

Он кивнул.

— Тебе нужны деньги?

Он снова кивнул.

— На операцию бабушке или маме, как обычно говорят в таких случаях?

Он замотал головой.

— Тогда чего? Что случилось?

— Мне за учебу надо платить... Куртку купить. Я дурак, короче.

— Приходи ко мне завтра в офис, устрою тебя курьером. Будешь бумаги развозить, кофе варить, еду из ресторана приносить, прибираться, машину мою мыть, возить меня пьяного, заработаешь на свою учебу и куртку, ты понял? А от Марины отстань.

— Правда?

— Кривда. Выпьешь?

Он пожал плечами, я плеснул ему водки.

— Так где же она?

12. Людмила Евсеева

Я не понимаю некоторых женщин, жен следователей, полицейских, «оперов» и представителей подобных, связанных с правоохранительными органами профессий, которые превращают жизнь своих мужей в настоящий ад. Град упреков обрушивается каждый раз на их и без того больные головы, мол, дома не бываешь, постоянно на работе и все такое. А о чем они думали, когда выходили за них замуж? Вот лично я всегда знала и понимала, кем работает мой Миша. И, быть может, именно это и решило мою судьбу: я совершенно осознанно вышла замуж за человека умного, решительного, отважного, смелого, ответственного, за следователя. И я сразу же сказала ему, что буду его во всем поддерживать, что он от меня ни слова упрека никогда не услышит. И что ревновать я его не буду ко всем тем женщинам, с которыми ему придется сталкиваться по службе, будь то коллеги по работе, свидетельницы или преступницы. Все знаю, все понимаю, что он мужик, что его может потянуть к кому-то, но мы с ним договорились, если такое случится, чтобы он сам мне все рассказал. Измену не прощу, сказала я, расстанемся спокойно, без скандалов. Ты мне оставишь дом и хозяйство, а сам иди туда, где тебя пригрели. Вот так с ним и порешили. Но прошло уже больше десяти лет, и ничего такого в нашей с ним совместной жизни, к счастью, не наблюдалось. Ни ревности, ни разочарования в нем как в человеке я не испытывала. Мы живем с ним душа в душу. Я — женщина с понятием, знаю, как важна для мужика поддержка друга, коллеги, а потому, чтобы они часть своих дел решали не в мрачных кабинетах за бутылкой водки, да без закуски, встречаю Мишиных гостей как родных. У меня всегда припрятана и бутылочка, и две, и три, причем все разные, от хорошей водочки до дорогих напитков. В морозилке у меня и свиные ребрышки, и голубцы, и пельмени, даже тушеная капуста с гусятиной в контейнерах, чтобы, если вдруг гости на пороге, я — раз, в духовочку или микроволновку, и у меня готова мировая закуска. Капуста и грибочки у меня в погребе не переводятся, я солю много, знаю, что всегда пригодится. Если кто из гостей переберет, у меня и времяночка имеется с электрическим обогревом и мягкой постелью. А уж про баньку я и вовсе молчу — это уж как водится! Правда, банькой занимаются всегда мужики.

Единственно, чего я не люблю, — это когда к нам приезжают с бабами. Накормить — накормлю, а вот спать не положу. Я и Мишу предупредила сразу. Нет, конечно, ситуации бывали разные, и я принимала у нас разных женщин — жертв домашнего насилия, свидетельниц прятала, преступниц кормила-поила, понимая, что они оступились под гнетом обстоятельств... Даже жалела их. Вот как сейчас жалею Таню Ванееву. Да, она убийца, сама во всем призналась, но если бы Миша привел ее к нам и приказал мне ее спрятать, я бы спрятала. И держала бы ее у себя в доме сколько потребуется. И кормила бы ее, и душой согревала, потому как понимаю — убила она мужа ради сына. Она понимала, если не убьет, то сын может погибнуть от руки отца-дебошира. Да все в Панкратово, кого ни спроси, знают эту историю не понаслышке. И все бы ей помогли. Да только созналась она и теперь ждет суда. Жалко ее.

А деревня эта, Панкратово, вообще-то вполне благополучная. Там редко когда что происходит. И тут вдруг — тройное убийство. То есть три убийства за одну ночь! С Ванеевым-то все ясно, сам напросился. А вот Зосю жалко.

Зося. Вот если бы Миша узнал то, что я знаю про Зосю, может, по-другому построил свое следствие. Вернее, я абсолютно точно знаю, в каком направлении бы он двигался и какая версия была бы основной. Вот потому и молчу. Не сказать что это такая уж большая тайна, тем более что рано или поздно все бы все узнали, месяцев через пять-шесть, когда живот бы у Зоси нашей раздулся. Господи, как представлю себе, что с ней сделали, слезы сами текут, и такая тоска берет... Ведь она беременна была, от моего брата Леши. Уж не знаю, чего они скрывали свои отношения, вроде бы и он свободен (с Анжелкой своей развелся еще четыре года тому назад, она, шалава, в город уехала, в магазин устроилась работать, все встречается со своим армянином, который здесь у нас клуб ремонтировал с бригадой), и Зося была свободна. Да, брат у меня очень стеснительный, нерешительный, и очень ему в жизни досталось от Анжелки, которая гуляла от него налево и направо, совсем не уважала мужика. Я уж с ней сколько раз говорила, по-бабски, пыталась ей мозги вправить, объясняла, что горя она еще не хлебнула со своими мужиками, что с Лешкой живет, как за каменной стеной, он и верный и работящий, деньги домой приносит. Но разве ей чего докажешь? Накрасится, приоденется, хвост пистолетом — и в город! Да не на автобусе, а все больше норовит в машину к какому-нибудь луговскому сесть, а то и к заезжему гостю, типа прокурора нашего или к кому-нибудь в администрации. Ладно, не хочу я про нее. Уехала и уехала. Развод они давно оформили.

Леша мой свободный был. Поделили они совместно нажитое имущество, Анжелка заграбастала себе однокомнатную квартиру в Теплом Стане, которую бабка Леше по завещанию оставила. Мне-то досталась комната в коммуналке на Цветном бульваре, мы ее с Мишей сдаем. Но не в этом дело. А в том, что Леше остался его большой дом, хозяйство, пасека, все мастерские, лесопилка. Говорю же, он мужик мастеровой, толковый. Он как с Зосей-то познакомился? У Зоси крыша прохудилась, вот кто-то из баб панкратовских и посоветовал ей нанять моего Лешу. Как-то связались с ним, объяснили, что Зося бедная, что с нее нельзя три шкуры драть (как будто Лешка мой крохобор какой!), ну и приехал он к Зосе в лес. Починил ей крышу (это мне Леша потом рассказывал), а она ему щец горяченьких, пирожков, чайку сварганила с травками, да и влюбила в себя моего брата. Нет, я не в том колдовском смысле, просто накормила мужика, да еще и денег дала, правда, он их потом под скатерть ей незаметно положил. Вот тогда-то, думаю, он и разглядел нашу Зосю. Не знаю, почему люди ее бабкой называли, наверное, из-за ее темной одежды. Или из-за ее темного прошлого, ведь никто не знает, откуда она к нам пришла. Она словно родилась в лесу. Вот, значит, мой Леша и зачастил к ней. Но ездил по ночам, потому что днем у нее всегда народ. Она гадает, лечит, словом помогает людям. Вот никто не помнит, как Зося однажды на неделю исчезла. Поговаривали, я знаю, что она вроде бы в город уехала, что лечит какого-то высокопоставленного чиновника или артиста, имя которого держится в тайне. А на самом деле у Леши она жила, он с лестницы упал, спину себе сорвал, мне позвонил, ну, я поехала в Панкратово, в лес к Зосе, рассказала ей все. Она быстро свои травы-склянки собрала, в сумку положила, оделась, села в мою машину, и я отвезла ее к брату. И знаете, такая меня благодать охватила, когда я привезла ее к нему. Вы бы видели, как они посмотрели друг на друга. Сдержанные такие, при мне едва поздоровались, Леша сказал, что ничего страшного с ним не приключилось, просто спина побаливает, но я-то понимаю, что у него защемление спинного нерва. Он лежал, смотрел на нее, и глаза у него были такие, словами не передать! А у нее лицо стало таким нежным, светлым, глаза загорелись, как драгоценные камни, она быстро оглянулась, благодаря меня одним взглядом, и я ушла, оставив их, влюбленных, вдвоем. И ни одна душа тогда не знала, что Зося нашла в доме брата свое счастье, свою надежду и что понесла тогда ребеночка Леши.

Поправившись, он сказал мне, что собирается жениться на Зосе, что увезет ее из леса, что будет беречь ее и сделает так, чтобы она больше никого не принимала. Он был уверен, что ее посетители выпивают из нее энергию и здоровье. Еще сказал мне, признался, что Зося очень красивая, что у нее молодое тело и душа, что она просто богиня. Она сделала моего брата счастливым и собиралась родить ему сына или дочь. Вот кем была для меня Зося из Панкратово. И скажи я об этом Мише, точно отправился бы допрашивать и без того убитого горем Лешеньку. Всю душу бы ему вынул. Вот и молчу я. Никогда не признаюсь в том, что знаю.

В Панкратово бабы пронюхали про беременность Зоси, у нас же в Луговском разве кто может держать язык за зубами, я имею в виду врачей, полицию, да и прокуратуру? Разболтали. И столько ей уже женихов да любовников приписали — мама не горюй!

Конечно, и меня Миша спрашивал, не знаю ли я чего о Зосе. Вот и приходится повторять сплетни, чтобы не узнал он о Леше. Ладно еще мой Миша, а то ведь Кузнецов, если узнает про Лешу, прикажет повесить на него убийство Зоси. Как узнал, мол, о ее беременности, так и решил избавиться или же приревновал ее к кому-нибудь. У них, у прокуроров, разговор с подозреваемыми короткий, это я в иносказательном плане, конечно. Им бы обвинить кого да отдать под суд. Вот и Кузнецов такой же. Он вообще злой на весь белый свет. Говорят, жену свою очень любит, а она ему постоянно рога наставляет.

Сегодня позвонил мне Миша и сказал, что гости у нас будут, следователь из Москвы, Азаров. Я уже видела его, красивый парень, на писателя похож. Хоть и тепло на улице, он в тонкой водолазке ходит и джинсах. Широкий в плечах, черты лица грубоватые, но он очень милый, просто лапочка. И видно, что умный, серьезный, почти как мой Миша. Уж я так ждала их, так старалась, и ребрышки разморозила, и картошку с грибами приготовила, стол в саду накрыла, все чин-чином. Ну, думаю, пойдет работа у мужиков, встретятся, информацией обменяются, как водится, и вычислят, кто убил нашу Зосю. Может, кто на моем месте и обиделся бы, что муж не замечает, когда разговоры серьезные ведет, а лично я рада. Хожу, за гостями ухаживаю, салфеточки подношу, тарелочки грязные убираю, хлебца подрежу. То огурчики принесу из погреба, выложу, то, пока они там говорят, пьют, едят, спорят, орут, пирожок испеку, чтобы не свалились мои следователи под стол, а сама-то все слышу, все знаю и все понимаю, потому как нет у Миши от меня секретов. Что плохого, что я знаю в подробностях все его дела, кто кого убил, кто про кого чего сказал, результаты экспертизы (самое основное), свидетельские показания... Понятное дело, что я все понимаю на своем бабском уровне, однако не дура, могу сопоставить, что к чему. Вот и в этом деле — два трупа. Один — панкратовский, другой — московский. Дело сложное, никак не решат, ради кого пришел в дом убийца, на кого первого замахнулся. Если пришли за Зосей, значит — Китаеву убили как свидетельницу. Если за Китаевой, значит, Зося наша попала под раздачу (что особенно обидно!).

И чего только бабы наши про Зосю не говорили. Про Китаеву-то им вообще ничего не известно, так они и решили, что убийца пришел по Зосину душу.

Начали вспоминать, кому она что говорила, кого как лечила, кого приворожила-отворожила, кому что предсказала. Толком-то никто ничего сказать не может, потому как никаких особенных грехов никто за Зосей не знает. Но вспомнил кто-то, что она предсказала одной московской барышне, что у нее двойня будет, а у той-то и мужа нет, да и матку ей вырезали давно. Она там, в лесном доме, говорят, шум подняла, плакала, с ней просто истерика сделалась, когда она это услышала. Даже ударить Зосю хотела, а та хвать ее за руку, опустила ее, приблизилась к ней и сказала в самое ухо: двойня у тебя будет, через полгода. Как заколдовала женщину. Та уехала вся в слезах, какая-то пришибленная. А через полгода вернулась, с подарками для Зоси. Сказала, что замуж вышла за молодого вдовца, а у него — малыши, двойня. И что счастливы они невозможно как. Да таких историй у Зоси немало. Не представляю, кто и за что мог ее убить. Ведь у нее и деньги в доме были, да только их не взяли. И на той, другой женщине золотые украшения были, их тоже не тронули.

...Я как услышала шум, сразу вышла на крыльцо — ну точно, мои мужики приехали, Миша и Дима Азаров. Две машины подкатили, я метнулась к столу, проверить, все ли в порядке, угольки поворошила, принялась мясо на решетке раскладывать, а потом вдруг увидела, как из машины выходит девушка. Из машины Азарова. Высокая такая, эффектная, с рыжими волосами, поверх лба темные очки, словно она забыла их снять, в обтягивающем сером платье с красивым кружевным воротничком, черные чулочки, туфельки. Шлюха, короче. Я как ее увидела, так настроенье мое упало. Начинается, подумала я. Приперся московский следователь погулять к нам на свежий воздух, на шашлычки. Бабу с собой привез, чтобы оторваться по полной программе. И, что самое неприятное, Миша-то ему ничего сказать не может, неудобно вроде как.

— Проходи, Марина, — заботливо так усадил Азаров свою девушку за стол рядом с собой. — Все нормально...

А чего нормально-то? Марина, надо же! Терпеть не могу ухаживать за бабами. Ну кто они мне такие, чтобы прислуживать им за столом?

У меня вообще к шлюхам особый счет. Я вот все думаю, на кого в основном цветочная индустрия работает? Сотни цветочных магазинов с дорогущими букетами процветают в прямом смысле этого слова за счет таких вот ухоженных стерв Марин. Это проституткам наши мужики дарят цветы, конфеты, брильянты, им, а не женам... Назовите это ревностью. Пусть.

Я бросила на Мишу такой взгляд долгий, тяжелый, что он вздохнул, все понял, пожал плечами.

— Людмила, как же здесь у вас хорошо! — воскликнул, расправляя плечи и потягиваясь, Дима Азаров. Тот самый Азаров, который произвел на меня такое хорошее впечатление, что я сегодня, узнав о его приезде, тесто поставила для расстегаев!

— Кушайте, на здоровье, — сказала я сдержанно и ушла в дом. Ну не могла я смотреть, как он обхаживает эту Марину. А Мариночка эта, я видела в окно, налегала все больше на водочку. Пока мужики что-то горячо обсуждали, спорили, разложив на столе какие-то бумаги, она хлоп рюмашку, затем еще одну и еще...

Вымыла я груши, яблоки, уложила в вазу и вынесла в сад, поставила на стол, вот, мол, угощайтесь, гости дорогие. А сама кружусь вокруг, что-то там прибираю, стараюсь быть незаметной и незаменимой одновременно. И слушаю, слушаю, о чем идет речь, потому как небезразлична мне судьба моего Леши.

Картина вырисовывается такая: несколько месяцев тому назад на один из банковских счетов Китаевой, и без того небедной женщины, поступили крупные суммы от гражданина Сергея Ивановича Качелина, поэта, переводчика, еще через несколько дней — несколько переводов от Родиона Борисовича Караваева, известного писателя-фантаста. И этот же Караваев, недавно скончавшись, оставил практически все свое имущество, включая дорогую квартиру, деньги и творческое наследие, все той же Китаевой!

— Я же говорил, что все дело в твоей Китаевой! — воскликнул обрадованно мой Миша. — Говоришь, у него внук есть, вот и проверяй его!

— Да мы проверяем, но толку-то? Какой ему смысл был убивать Китаеву? Он что, после ее смерти разбогатеет? Я скорее поверю, что он ускорил смерть своего деда, вот это больше смахивает на правду... А убивать Китаеву, зачем?

— Просто разозлился и убил!

Азаров рассказал, что у Вадима Караваева, внука писателя, есть девушка, с которой он живет, и что у него, Азарова, на завтра назначена с ней встреча. Самого-то внука невозможно поймать, он в постоянных разъездах, но чем конкретно занимается, никто сказать не может. Хотя есть информация, что он увлекается наркотиками.

Тема наследства Караваева была основной, мужики высказывали предположения, строили версии. Какие такие отношения могли связывать хозяйку кафе с яркими представителями литературной братии? Даже я, уж на что далека от культуры, и то знаю, что существует такой поэт Сергей Качелин, да и имя Караваева на слуху... Миша предположил, что она была любовницей одного из них, Дима с ним не согласился...

Между тем Мариночка наша все накачивалась водочкой. Рюмки маленькие, в один глоток — раз и готово!

Дима все порывался обнять девушку за плечи, но она сбрасывала его руку, огрызалась, я услышала краем уха, как она несколько раз сказала ему: зачем ты меня сюда привез?

Не понравилась ей, видите ли, наша компания.

Между тем разговор перешел на Зосю. В воздухе по-прежнему висел вопрос о том, кто мог быть отцом ее ребенка. В шутку предположили, что это лесной дух. А мой «лесной дух» Лешечка в это самое время рыдал в своем пустом доме, прижимая к лицу ночную рубашку Зоси...

Потом наша краля вдруг заплакала. Сказала, что ей нехорошо. У Димы был очень растерянный и виноватый вид. Он взглядом попросил меня ему помочь, мы вывели Марину из-за стола, проводили в дом, где я и уложила ее в кухне на диванчике, укрыла пледом. Села рядом с ней с тазиком, жду, не понадобится ли. И вдруг она как схватит меня за руку, прижмет к себе. Я думала, что она меня с Азаровым, любовничком своим, перепутала, отдернула руку, а Марина открыла глаза, смотрит на меня и говорит:

— Он специально меня сюда привез. Сделал вид, что я понравилась ему, а сам ждет, когда я признаюсь. А я никого не убивала. Как я могла ее зарезать? Я же не убийца!

У меня глаза на лоб полезли. Я давай ее расспрашивать, кто она, откуда, каким боком к убийствам... Ну и узнала, что ее муж с Китаевой шашни крутил и что сильно она ревновала, прямо умирала. Азаров вышел на нее, встретился, все выпытывал про алиби, а потом взял и пригласил ее сюда, поближе к месту преступления, вроде как в надежде, что нервы ее не выдержат и она во всем признается.

— А ты чего поехала-то?

— Сама не понимаю... Мы с ним были в кафе, у Китаевой. Говорили долго, затем он пригласил меня вроде как на пикник... А потом поцеловал. Не как следователь, конечно... Я ведь уже ушла, отказалась с ним ехать, а потом ноги сами привели меня к нему. Знаете, у меня внутри какой-то зверь сидит, который хочет отомстить Боре, мужу моему. Азаров красивый мужик, настоящий, не то что Саша... Да он меня околдовал, этот Азаров! А Саша...

Оказалось, что у нее уже есть любовник, с ее слов выходит, мальчишка совсем. Но она клянется, что держит его на расстоянии, что не подпускает к себе, что подло так, по ее словам, использует. Словом, запуталась эта Марина капитально. Я ее прямо в лоб спрашиваю: постелить ей с Азаровым или нет?

— Постелите, — кивает головой.

Потом она уснула, я снова вышла в сад. Чувствую, что-то произошло за время моего отсутствия. Мужики какие-то напряженные сидят.

— Что, еще убили кого-то? — неудачно пошутила я.

— Ты садись, Люда, поешь. — Миша даже поднялся, усадил меня за стол. — Вот, налей себе, расслабься...

— Миша, что случилось?

Анна Данилова

— Гости к нам едут. Звонок из Москвы в прокуратуру нашу был. Позвонила какая-то женщина и сказала, что знает, кто убил Зосю. Попросила мой номер телефона, ну, Паша и дал. Женщина эта позвонила мне, сказала, что надо встретиться срочно, ну я и назвал ей наш адрес. Через полчаса она будет здесь.

— Ну и отлично! А чем недоволен?

— Да нет, я ничего... Подумал, может, тебе это не понравится, — сказал он это уже шепотом, когда Дима вышел из-за стола и направился в сторону дома. — Я знаю, тебе не нравится, когда мужики с бабами приезжают, но эта Марина — она не любовница его. Она — важный свидетель!

— Да знаю я все, она мне рассказала... А еще этот важный свидетель попросила уложить их спать вместе с Димой.

— Ну не знаю... Во всяком случае, он только что рассказал мне, что это — Марина Болотова...

— ...жена архитектора Болотова, любовника Китаевой... Знаю.

— Уф, ну и история!

— А кто эта женщина, что сюда едет?

— Понятия не имею.

Но женщин было три. Они вышли из машины, и я сразу поняла — москвички. Разряженные в пух и прах, правда, во все темное. Три элегантные молодые дамы. Две из них едва стояли на ногах и щурились от света фонаря, видать, спали в машине, пока добирались к нам. Третья, трезвая, говорила с сильным акцентом.

Дима, увидев их, поднялся из-за стола им навстречу:

— Аня? Катя? Нора? Что вы здесь делаете?

Надо же, ай да Азаров, еще три подружки, три «свидетельницы»! Прямо гарем! Да у меня кровати такой нет, чтобы их всех вповалку положить...

13. Следователь Дмитрий Павлович Азаров

Она сидела рядом со мной, касаясь бедром моего бедра, но я к ней уже ничего не чувствовал. Вдруг понял, что я просто животное, не желавшее гасить в себе половые инстинкты, и что я ради них, ради своего желания привез в Луговское и без того измученную Марину Болотову. Фантазируя в машине, по дороге к Евсееву, о том, как мне удастся остаться с Мариной наедине, в одной из тихих комнат большого дома Михаила или в сарайчике, где пахнет яблоками и сухой травой, я, распалившись, мог бы наброситься на девушку еще в машине, уж нашел бы способ, как ее уговорить, но продолжал крепко держать руками руль и смотреть вперед, на темнеющую с каждым километром дорогу, и клясть себя за нерешительность.

Этой поездкой с Мариной я нарушал все законы — и как следователь, вполне допускавший ситуацию, при которой сидящая за столом Марина услышит все наши с Михаилом разговоры, связанные с убийством несостоявшейся любовницы ее мужа, и как мужчина, взявший на себя ответственность за последствия этой поездки, однако не прочувствовавший всю ту душевную боль, которую могло бы причинить ей напоминание об убийстве и возможной неверности ее мужа.

До сих пор не понимаю, почему я не свернул с трассы куда-нибудь в лесок, на тихую поляну, не раскинул на траве свой дежурный плед, чтобы уложить и усладить понравившуюся мне женщину.

Я действовал непрофессионально, как настоящий идиот. Думаю, что Евсеев, узнав от меня, кого я привез, мысленно покрутил пальцем у виска, не в силах понять, осмыслить предложенную мной ситуацию. Я даже не помню, в какой момент я дал ему отмашку, мол, расслабься, при ней можно говорить обо всем, даже не подумав о том, что и его тоже в этот момент подставляю.

Видел я и те страшные взгляды, которые стрелами посылала мне Людмила, явно принявшая Марину за мою девушку, которую я прихватил с собой исключительно ради того, чтобы провести с ней ночь в евсеевском доме. Ничего не зная о моем семейном положении, Людмила вполне могла бы допустить, что я привез с собой тайную любовницу.

К счастью, Марина сама спасла ситуацию, набравшись по самые уши водкой. Вероятно, не в силах осознать факт своего нахождения в Луговском, в компании двух следователей, запутавшись в своих отношениях с мужем, которого она любила и считала своей собственностью, на которую еще недавно покушались, она не нашла ничего лучшего, чем напиться. Я же, в свою очередь, осознав всю нелепость ситуации, подло помогал ей в этом, подливая в рюмку. Вскоре она обмякла, как подтаявшая конфета, и заплакала. Я растерялся, мне было неудобно перед хозяевами, особенно перед Людмилой, но она оказалась женщиной понятливой и очень доброй. Мы отвели Марину в дом, и Людмила уложила ее спать.

Вернувшись к Михаилу, я продолжил свои размышления относительно мотива убийства несчастных женщин, высказал своему коллеге догадку, что если основной мишенью убийцы была Эмма Китаева, то, возможно, это связано все-таки с большими деньгами, которые перетекли к ней из накоплений именитых литераторов.

Я не рассказал Михаилу о некоторых весьма интересных документах, обнаруженных в квартире Китаевой, — договор с одной немецкой адвокатской конторой, представляющей ее интересы в Германии и уполномоченной отслеживать литературные гонорары Караваева в Европе, а также оформленные по всем правилам нотариальные доверенности на немецком и английском языках с копиями на русском, в которых говорится о том, что и Качелин и Караваев доверяют Эмме Китаевой ведение всех финансовых дел.

Откуда такое доверие к Китаевой? О чем думали или что задумали друзья Качелин и Караваев, когда со всей серьезностью оформляли все эти документы?

Ответ на эти вопросы могла дать мне Катя Мертвая. Сейчас, когда открылись многие факты, в том числе связь Китаевой с литераторами, я бы мог позволить себе задавать интересующие меня вопросы Кате прямо в лоб. Я был уверен, что она все знает, да только не видит смысла что-либо раскрывать. А в свете новых обстоятельств Катя уже не просто близкая подруга Эммы, а ее наследница. Наследница и тех денег, которые были доверены Эмме литераторами, а это больше двух миллионов долларов! Если учесть, что Катя знала о подруге буквально все, то сам бог велел предположить, что она была в курсе отношений между Эммой и литераторами. Причем непростых отношений. Их всех что-то связывало, и доказательством тому были большие деньги, поступившие на счета Китаевой! Конечно же, Левандовская здесь совсем ни при чем! Несчастная Зося погибла исключительно из-за того, что дом ее находился в лесу, а потому явился одновременно и ловушкой, и идеальным местом преступления, где главной жертвой изначально была Эмма. Зосю же убили как свидетельницу.

Но если убийца — Катя Мертвая, то очень трудно представить ее с ножом в руках, эдаким мясником, уверенно всаживающим кухонный нож в мякоть тела подруг. Просто невозможно в это поверить! Разве что она кого-нибудь наняла для этой кровавой работы.

Еще из головы не выходила та молитва, которую услышала в ту ночь в доме Ванеева, прибежавшая туда после убийства мужа. Молитва, как ей показалось, на польском языке. А что, если все-таки приходили убивать Левандовскую, таинственную женщину с загадочным прошлым?

— Так откуда она, Миша? — спрашивал я Евсеева с чувством человека, кружащегося на карусели, которую забыли остановить. — Откуда взялась эта Левандовская?

— Такое впечатление, будто она жила там всегда. Я разговаривал с одной старой женщиной из Панкратово, так она сказала, что в этом лесном доме прежде жила мать Зоси, Катарина, которая поздно родила дочь, причем неизвестно от кого, и что девочка воспитывалась где-то у родственников на Украине, подо Львовом, а когда девочка подросла, мать привезла ее сюда и обучила своему ремеслу, после чего умерла или просто исчезла. Эта женщина высказала предположение, будто Катарина здесь пряталась, возможно, совершила там, у себя на родине, на Украине ли, в Польше, преступление. Иначе как объяснить ее желание жить в лесу вдали от людей? Значит, боялась кого-то...

Наш разговор был прерван шумом подъезжающей машины. Мягкое торможенье, хлопнули дверцы, и за воротами я увидел три женские фигурки. Если бы я был трезв, то сразу же отправил бы их обратно, но этот вечер оказался безумным с самого начала, а потому я решил уж идти до конца, до провального, постыдного конца. Думаю, что виной такого моего легкомысленного поведения было ощущение долгого и утомительного блуждания в потемках нашего с Евсеевым следствия, точнее, полной беспросветности нашего общего дела. Убийца водил нас за нос, пока мы перемешивали в нашем нестройном сознании мотивы, улики, факты, подозрения, свидетельские показания, предположения и великое множество вопросов.

Три подружки, две из которых были тепленькими от принятого алкоголя, а третья казалась самой трезвой и серьезной, нашли Евсеева, с тем чтобы поделиться какими-то своими предположениями, и были сильно удивлены, когда увидели за столом в саду меня. Вот бы они удивились, подумал я, если бы узнали, с кем я сюда приехал и что вообще натворил.

Людмила, потерявшая на время дар речи от такого количества гостей женского пола, приняла их, однако, с видимым уважением и, демонстрируя им свое гостеприимство, накормила их, напоила и, поскольку они так и не смогли стройно изложить свои мысли (что-то бормотали о Болотовой, у которой был мотив убить Эмму из ревности), вскоре тоже отвела их в дом и уложила спать. За столом оставалась трезвая Нора, которая выложила нам с Евсеевым информацию, касающуюся связи Эммы Китаевой с двумя престарелыми и именитыми литераторами. Мы, слушая ее, молча наливались водкой и время от времени качали головой. Нора же пила исключительно вишневый компот, приготовленный Людмилой («Люда, какой вкусный компот! Просто роскошный!»).

Оказывается, литераторы доверили Эмме свои деньги, с тем чтобы она организовала своего рода пансион для людей искусства, для чего и была куплена усадьба в Сухово. И тот факт, что после смерти весь капитал плавно переходит в руки Кати, еще не свидетельствует, по словам Норы, о том, что за убийством стоит она. Катя — кристальной души человек, которая продолжит дело, начатое Эммой, и разовьет его. И помогать ей в этом будет Аня. Нора убедительно просила нас не подозревать Катю и направить все силы на поиски настоящего убийцы. Больше того, она готова была прямо сейчас выдать нам наличными десять тысяч евро на непредвиденные расходы, бензин, оплату внештатных сотрудников, если таковые понадобятся в расследовании преступления. Подкрепляя свои слова, она открыла сумку из крокодиловой кожи и показала нам пачку денег:

— Что я еще могу сделать? Как вам помочь?

Услышав о деньгах, Евсеев сразу, как мне показалось, протрезвел. Людмила же принесла из дома холодное шампанское и хрустальные бокалы, решив взять дело в свои руки и не позволить словам оставаться висеть в воздухе. Деньги, как я понял, должны быть переданы Людмиле, как самой трезвой из компании и заинтересованной в благополучном исходе расследования.

— Что ж, это прекрасное пожертвование, — сказала она торжественно, принимая из моих рук уже

Анна Данилова

откупоренную бутылку и разливая шампанское по бокалам. — Вы, Нора, прекрасной души человек, и знаете, вероятно, насколько сложно нашей правоохранительной системе существовать на те средства, что выделяются государством....

— Я могу перевести еще столько же!

— Нет-нет, и этого много, — сказал растерявшийся Евсеев.

— Эти деньги, уж поверьте мне, будут использованы исключительно в поисках убийцы этих несчастных женщин, — сказала Людмила, извлекая из кармана теплой вязаной кофты, в которую успела переодеться, спасаясь от ночной прохлады, пакет, раскрыла его прямо перед носом венгерской гостьи, и Норе ничего другого не оставалось, как положить туда всю продемонстрированную ранее сумму.

Михаил застыл с растерянной и озадаченной миной на лице, не зная, как реагировать на столь неожиданно решительный поступок жены. Положение спасла сама Нора, которая вдруг расхохоталась весело, встала и крепко обняла Людмилу.

— У вас замечательная жена! — воскликнула она. — А уж как она готовит! Жаль, что у нас мало времени, я с удовольствием записала бы ее рецепты и поделилась своими, венгерскими.

Ужин получался водевильным, словно в саду разыгрывалась пьеса, основной идеей которой было обличить непрофессионализм работников следственных органов и их склонность к алкоголю. Мо-

мент передачи банкнот Людмиле был кульминаци-
ей вечера и ничего, кроме гомерического хохота, не
вызывал. Мои мозги расплавились в водочных па-
рах и жирной сытости жареной на углях свинины.
Надо было попросить Людмилу уложить и меня
тоже спать, да только я не успел. Энергичная и дея-
тельная Нора внезапно предложила мне проехать
до Панкратово и осмотреть еще раз хорошенько место преступления.

— Нора, ночь на дворе, это во-первых. Во-
вторых, что ты там можешь увидеть, если на месте
уже поработали эксперты?

— Может, я и дура, но вдруг ваши эксперты что-
то пропустили? Какую-нибудь деталь? Записку,
квитанцию, ремешок, пуговицу, нитку, пряжку,
прядь волос, обрывок кружева, кольцо...

— Нора, как говорят в таких случаях... — про-
мурлыкал пьяненький Евсеев, сгребая щепотью
остатки маринованного лука с тарелки, — вы на-
смотрелись детективных сериалов и прочли кучу
криминальных романов! Жаль, что вы подвергаете
сомнению профессионализм наших экспертов.

— Да ничего подобного! — замахала руками
Нора. — Ни в коем случае!

И тут до меня дошло, что трезвая Нора на самом
деле была пьянее всех, но ее возбуждение имело не
алкогольное происхождение, а страсть. Желание,
которое охватило женщину, заставляло ее говорить
прилюдно очевидные глупости: какое еще объяснение можно было подобрать ее настойчивой просьбе
свозить ее в Панкратово, в темный лес, в темный

дом?! Припоминая, зачем ей понадобилось встретиться с Зосей, а именно — сложности в личной жизни, ее сексуальная неудовлетворенность, я улыбнулся мысленно широко и счастливо. Наконец-то желание женщины совпало с моим желанием. Какая, в сущности, разница — Марина, Аня, Нора, если я запланировал на этот вечер выход своей сексуальной энергии в принципе. Все окружавшие меня женщины были хороши, даже прекрасны. Если бы не отчаянное пьянство Марины, я бы нашел слова, чтобы урезонить Нору не ехать в Панкратово, и попросил бы Людмилу постелить ей постель, а сам бы расположился с женой архитектора где-нибудь в укромном местечке огромного хозяйства Евсеевых. Но с Мариной не сложилось, а Нора сама, как я понял, предлагала себя, предпочитая мрачные кровавые декорации лесного домика в Панкратово уютной и теплой усадьбе Евсеевых.

— Девушка хочет пощекотать себе нервы, — шепнул я доверительным тоном предельно расслабленному Михаилу, вставая из-за стола и театральным жестом предлагая Норе последовать моему примеру. — В Панкратово так в Панкратово!

— Ура! Ура! — захлопала в ладоши вмиг превратившаяся в большого ребенка Нора, и яркий свет фонариков над столом осветил ее раскрасневшееся лицо.

Женщина явно хотела приключений. Что ж, подумал я, разве я сам не хотел этого, когда привез в Луговское Марину? Переварит ли все эти события Михаил, серьезный и ответственный человек, опекаемый не менее серьезной женой? Об этом я подумаю утром, решил я, усаживая Нору в свою машину под молчаливые взгляды Михаила и Людмилы.

— Постойте! — вдруг очнулась Людмила и кинулась к нам. — Дима, вам нельзя за руль! Мало того, что вы пьяны, и это очень опасно за рулем, на перекрестке, на трассе, ведущей в сторону Панкратово, ночью дежурят гаишники!

— Нет проблем! — весело крикнула Нора, выбираясь из машины и пересаживаясь на водительское место. — Я-то трезвая!

Уезжая, я поймал совершенно отрешенный, я бы даже сказал, отупевший взгляд моего товарища, стоящего посреди двора на нетвердых ногах и ритмично, в недоумении, поднимавшего плечи. Последнее, что я видел, это заботливое объятье его жены, уводящей мужа к дому.

По дороге Нора все извинялась, что придумала эту поездку, которую я вслух обозвал все же экскурсией на место преступления.

— Мне страшно неудобно, но и вы тоже поймите меня... Эмма была нашей подругой, и мы все довольно хорошо знали ее, чтобы предположить наличие у нее тайного врага. Она была ангелом...

— Так всегда говорят о безвременно ушедшем и внешне милом человеке, — заметил я довольно цинично. — Но кто знает, сколько тайн хранила ваша подруга.

Ведь те миллионы, которые осели на счетах Китаевой, наверняка и стали причиной ее убийства. Можно себе представить, какие страсти бушевали после того, как родственники Караваева и Качелина узнали, что их старики вот так чуднó распорядились своими сбережениями. Эти люди, вероятно, строили какие-то планы, надеялись на помощь своих близких. Особенно внук покойного Караваева — наследник.

В какой-то момент мне стало нестерпимо стыдно за то, что я позволил себе эту поездку, этот незаслуженный отдых. Столько хлопот доставил Людмиле!

Между тем мы свернули с трассы и поехали по узкой асфальтированной дороге, ведущей в поля, по левую сторону от Панкратово. От Луговского до Панкратово — всего-то семь километров.

— Нора, мы куда едем?

— Так указатель же был — в Панкратово!

— Мы не должны были сворачивать налево. Нам надо объехать деревню с другой стороны... Сейчас ночь, темно, и вы не можете увидеть лес, но нам нужно именно туда. Разворачивайтесь, поедем в обратную сторону!

— Ну хорошо, показывайте дорогу!

Свет фар освещал лесную дорогу, мрачные тени деревьев покачивались на ветру, в распахнутое окно машины вливался терпкий хвойный воздух. Я бы нисколько не удивился, если бы впереди машины возникли фигурки инфернальных существ, привидений... Звуки, доносящиеся из ночного леса, были жуткими: кто-то кричал, подвывал, стонал, ухал...

— Не страшно? — спросил я у Норы, впившейся взглядом в дрожащую от света неровную дорогу.

— Страшно, конечно. Я еще подумала, что вот по этой же дороге в дом Зоси пришел или приехал убийца. И постоянно задаю себе вопрос: почему если он шел убивать, то не прихватил с собой свое оружие, свой нож, к примеру?

— Да я сам не понимаю... Может, он и не собирался убивать, и желание это возникло в результате ссоры, вот только кто с кем ссорился — тоже непонятно.

— Зося была темной лошадкой. Может, она была ведьмой? — прошептала, глядя на меня, Нора. Черные волосы ее гладкой блестящей волной рассыпались по плечам. И когда только она успела распустить свой конский хвост? Без него она казалась женственнее, но ночные краски придали и ей тоже зловещий вид. Бледное лицо, горящие глаза, черные волосы...

Я показывал ей путь, машина шелестела вдоль высокой травы небольших лужаек, рощиц, пока свет не полоснул по коричневому неровному заборчику, за которым показалась уже и крыша Зосиного дома.

— Стоп!

Машина резко остановилась.

— Какое жуткое место! — воскликнула Нора. — Даже выходить не хочется!

— Однако придется. Ничего не бойтесь. Убийц здесь уже нет. Думаю, что дождями смыты последние следы. Сейчас это обыкновенный дом, в котором есть свет и вода.

— А кровь? Там же должно быть много крови!

— Евсеев сказал, что после того, как в доме поработали эксперты, местные женщины привели в порядок комнаты, перемыли полы, все проветрили. Подготовили все к похоронам, правда, тело еще не выдали...

— Почему?

— Думаю, что скоро выдадут. Нора, вам это зачем?

— В том-то и дело, что незачем. Я бы вообще не хотела сейчас говорить о покойниках, телах и похоронах. Я и так вся в мурашках.

Я открыл калитку, Нора следовала за мной, едва ли не наступая мне на пятки, поднялся на крыльцо, светя себе под ноги светом телефона. Евсеев проинструктировал меня, где я могу найти ключ от дома — как водится, под половиком.

— А она всегда оставляла здесь свой ключ или же это сейчас, после смерти хозяйки, оставили те, кто тут убирался?

— Михаил сказал, что Зося оставляла.

— Но это же говорит о том, что в доме ничего ценного не было, не так ли?

Я пожал плечами. Мы вошли в дом, я включил свет и бросил быстрый взгляд на Нору. Так и есть. Ее горящие глаза, стреляющие по сторонам в поисках улик, говорили о том, что никакой романтики от этой поездки мне ожидать не приходится. Прагматичная, с европейскими рассудочными мозгами, Нора приехала сюда действительно для того, чтобы испытать себя в роли следователя, а не для того, чтобы отдаться мне на мягких перинах в гостевой комнате Зосиного дома, не говоря уже о сеновале с холодным и колючим сеном.

— Мы должны найти здесь что-то такое, что подсказало бы нам, как действовать... Дмитрий. Прошу вас, не смейтесь надо мной. Вы поймите, что те, кто тут работал, — мужчины. А я хочу все осмотреть своим, женским взглядом. Какая-нибудь мелочь, деталь, сдвинутая картинка на стене, потревоженная икона, ну, я вам уже говорила о пуговицах и прочем...

Признаться, после ее слов и у меня пропало желание обнять ее.

Белый матовый шар, примитивная люстра с мощной лампой внутри, довольно ярко освещал большую комнату с круглым столом в центре, полками и иконами по стенам. Белые кружевные занавески на маленьких окнах, вытертые половики розоватого цвета на деревянных полах, старый диван с деревянной полкой сверху, украшенный кружевными салфетками, в углу — телевизор на журнальном столике. Повсюду — кувшины с большими букетами высохших полевых цветов, от которых идет кисловатый дух.

— Нора, что вы ищете на полу, ведь его же вымыли? — с трудом сдерживая раздражение, спросил я, наблюдая, как Нора энергично заглядывает под старые венские стулья, стол и даже шарит свернутой в трубку пожелтевшей от времени газетой под диваном.

Я со скучающим видом рассматривал ее обтянутые тугими джинсами бедра, полоску спины между поясом и задравшимся серым свитером и в который уже раз ругал себя за то, что придумал всю эту поездку в Луговское. Неужели всему виной мое мужское одиночество?

— Вы осматривали двор, сад? Может, здесь есть какие-нибудь сараи, где убийца мог спрятаться, или сеновал, я не знаю... Мы же приехали сюда работать, Дмитрий!

— Хорошо, я пойду осмотрю.

Я вышел из дома и остановился напротив горящего окна большой комнаты, закурил. Мне отлично было видно все, что происходило в комнате, — ползающую по полу Нору, тщательнейшим образом изучающую, казалось, каждую доску, каждый половичок. И вдруг я увидел, как она замерла, наклонилась к одному из половиков и аккуратно провела рукой по нему. Пощупала и подняла что-то совсем маленькое, поднесла к глазам, потом встала и, положив это нечто на ладонь, принялась рассматривать под лампой. Затем она достала из кармана носовой платок и завернула в него свою находку, сунула обратно в карман. И словно успокоилась. Села, расслабленная, на стул, вытянула ноги и с облегчением вздохнула. Не зная, что за ней наблюдают, она несколько раз зевнула, потом резко встала, потянулась.

Я вернулся в дом с видом человека, справившегося с порученной ему работой.

— Кругом темно, что можно там найти?

— Да, понятно... — устало улыбнулась Нора. — Ладно, что-то меня клонит в сон... И где будем спать?

— Можно в маленькой комнатке на кровати...

— Это там, где нашли Эмму? — занервничала она. — Ну уж нет!

— Можно здесь, на диване.

— Тут тесно даже для одного человека.

Я почувствовал, как сердце мое заколотилось. Что это — приглашение поспать вместе, в обнимку?

— Можно в машине, — предложил я неохотно, поскольку никогда не воспринимал машину как вариант спального места.

— А может, вернемся в Луговское? А там уж — хоть в сарае, хоть на сеновале... Там хотя бы не пахнет смертью... — Нора поджала губы и посмотрела на меня как ребенок, который просится ночью в кровать родителей, спасаясь от своих детских страхов.

— Хорошо... Мне тоже нравится эта идея. На самом деле, здесь жутковато... Вы что-нибудь нашли?

— Вы, Дмитрий, были правы: бестолковое это занятие — искать иголку в сене...

— В стоге сена, — машинально поправил я ее, сгорая от любопытства, что же она нашла на половичке в большой комнате Зоси.

— Хорошо, в стоге сена, — устало улыбнулась она.

В Луговское вернулись приблизительно в два часа ночи. Во дворе все еще горели фонарики, но стол был чистый, Людмила все перенесла в дом. Окно кухни горело, я подошел и постучал.

— А... Полуночники! — нисколько не сердясь на нас, сказала Людмила. — А я тут посуду мою...

Она подняла вверх руки в оранжевых резиновых перчатках. Затем ловко, одним движением, стянула их.

— Проходите в дом, я на всякий случай постелила вам в гостиной на диване. Два одеяла положила, вроде как вы отдельно спите... Извините, но больше спальных мест нет — повсюду гости...

— Вы — очень хорошая! — Нора подошла к ней и обняла, чем очень удивила меня. — Вы не представляете себе, как я устала и еще... как сожалею о том, что доставила всем вам столько хлопот...

— Ничего, в жизни все бывает, — сдержанно улыбнулась Людмила и жестом показала нам следовать за ней.

В гостиной на пианино стояла маленькая ночная лампа, розовый свет которой освещал диван с двумя пухлыми, в горошек, одеялами и огромными подушками.

— Вот, ложитесь. Здесь, Нора, ночная рубашка, если нужно, полотенце... Ванная комната по коридору направо, увидите, там я тоже свет оставлю...

Нора, увидев постель, не обращая на меня никакого внимания, стянула с себя джинсы, оставшись в белых трусиках, свитер, быстро надела голубую длинную рубашку с короткими рукавами и нырнула под одеяло, выбрав для себя место на диване возле стенки.

— Спокойной ночи, — пробормотала она и практически сразу уснула, засопела.

Я несколько минут стоял, глядя на нее, на ее одежду, потом, осмелившись, поднял со стула джинсы, сунул руку в карман и достал носовой платок. Подошел с ним к ночнику и развернул, чтобы получше разглядеть «улику», скрытую от меня Норой.

Это был маленький золотой лепесток с розовой эмалью, очень похожий на часть женского ювелирного изделия — сережки или кольца, может быть, кулона.

Вероятно, этот золотой обломок зацепился за бахрому половика и остался незамеченным экспертами. Получается, что Нора была права, когда допускала целесообразность повторного осмотра места преступления?

Но почему она ничего не рассказала мне?

Я сфотографировал лепесток при помощи своего телефона, вернул находку Норы на место, разделся, погасил свет и лег спать. В постели под одеялом показалось прохладно, и я забрался под одеяло Норы, где было тепло. Прижался к ней, крепко спящей, и закрыл глаза.

14. Зоя

У стоматологов тоже болят зубы, вот и у Иры моей тоже разболелся зуб, причем зуб мудрости, и она попросила меня его удалить.

Операция оказалась трудной, зуб сидел глубоко, и когда Ира вышла, пошатываясь, из кабинета, вид у нее был больной. Благо наступил вечер, я посадила ее в машину и привезла домой. Когда действие анестезии закончилось, я дала ей таблеток, чтобы снять боль, и уложила в постель, укрыла теплым одеялом.

Чтобы не нарушить ее сна, я ходила по квартире на цыпочках и в носках. Даже ужин не стала себе разогревать, чтобы не греметь посудой. Мне было очень жаль сестру. И вот часов в девять вечера, когда я сидела в гостиной на диване и смотрела телевизор в наушниках, до меня донесся звонок в дверь. Сняв наушники, я услышала, как мне тогда показалось, невероятно громкий звонок!

Я бросилась открывать и была потрясена, страшно разозлилась, увидев в дверной глазок Вадима.

— Открывай! — гремел он на весь подъезд. — Я знаю, что ты прячешь ее у себя!

Я распахнула дверь и бросилась на него, чтобы зажать ему ладонью рот.

— Заткнись ты! — зашипела я. — Ей удалили зуб, она спит! Ты чего орешь?

Он был пьяный, от него разило алкоголем. Никогда в жизни я еще не стояла так близко к этому Вадиму. Его густые спутанные волосы пахли лимоном, черные глаза смотрели так, словно выпивали своим черным светом мои глаза. Верхняя губа, розовая, влажная, припухшая... казалось, что такая форма явилась результатом пластической операции — настолько она была вызывающе привлекательна. Темно-синий свитер, черные джинсы. Все новое, дорогое, вероятно, подарок друзей или любовниц. Я смотрела на него и понимала, что так крепко удерживало рядом с ним мою сестру. Он был невероятно красив, притягателен и сексуален.

Внезапно он схватил меня за плечи и придвинул к себе, запрокинул мне голову и сказал мне прямо в лицо, обдавая меня горячим алкогольно-карамельным дыханием:

— Отдай Иру, она — моя.

— У нее своя жизнь, а у тебя — своя, — прошептала я, глотая слезы. — Вадим, прошу тебя, оставь ее в покое! Вы — совершенно разные! Ты слишком весело проводишь время. Ты — пьяница и наркоман, ты ей не пара!

— Но она любит меня, а я — ее. — Его пальцы словно выпустили когти, настолько болезненной была его хватка. Мои плечи просто онемели от боли! — И никто не имеет права вмешиваться в наши отношения.

— Никаких отношений больше быть не может! И то чувство, которое она к тебе когда-то питала, умерло. Она больше не любит тебя, она сама сказала мне об этом.

— А ты подвинься, впусти меня, и пусть она сама мне все скажет. — Он сделал попытку отодвинуть меня, как если бы я была мебелью, и в эти секунды он коснулся меня своей щекой, волосами, плечом, и я почувствовала, как колени мои слабеют и что я уже воспринимаю его не как Вадима-чудовище, долгое время отравлявшего жизнь моей сестры, а как молодого красивого зверя, готового совокупляться со всем живым.

Это было стыдное, глубоко засевшее во мне чувство, желание принадлежать мужчине, чувство, редко охватывавшее меня и вызывавшее во мне бурную фантазию, главным персонажем которой мог быть таксист, зрелый мужчина с собакой в парке и даже сосед по лестничной клетке — профессор математики...

Сердце мое бешено колотилось в груди...

И тут случилось невероятное, Вадим грубо схватил меня большим и указательным пальцами правой руки за щеки, приподнял мое лицо и впился губами в мои губы. Я даже успела почувствовать твердость его зубов на своих губах! Дыхание мое остановилось, я почувствовала, как меня затрясло. Промелькнула мысль, что вот так же он, вероятно, общается со всеми теми, кто составляет его свиту или, наоборот, чьей свитой является он сам, сладострастник, безумец, человек, не отказывающий себе ни в одном из своих самых дерзких и порочных желаний. На мгновение я увидела замутненную картинку из многих придуманных мною: голый Вадим в гостиничном номере с бутылкой шампанского в руке... Всегда, когда Ира говорила мне, что Вадим отправился в свое очередное путешествие, мне представлялась именно эта картина.

— Я знаю, что это ты убил своего деда, — прошептала я, когда мое дыхание восстановилось. — И Эмму Китаеву тоже ты убил. Там, в Панкратово. Тебя видели в ее кафе, есть свидетели... Ты доигрался, мальчик!

Он отпустил меня и даже оттолкнул. Стоял передо мной в расслабленной позе, раскачиваясь, приоткрыв лениво глаза с тяжелыми веками и густыми темными ресницами, и криво усмехался.

— Могу представить себе, что она делала с моим дедом, раз он отвалил ей все свое состояние... Мерзкий сладострастник, скотина! Она должна была умереть, иначе как?

Взгляд его потух.

— Вы ничего не докажете... Потому что вы — дуры. — Он пьяным жестом махнул рукой и поплелся к лифту. — А дед мой на кладбище, понятно? И Китаева эта — тоже на кладбище! Да только что мне с того? Теперь все достанется ее наследникам! Ну не идиотизм ли? Да я кашу манную ел в той квартире. И кто теперь там будет жить? Ее муж? Отпрыски? Родственнички? Вы все...

Анна Данилова

Он пролился ядом сквернословия. Никогда в жизни я не слышала столь грязных ругательств.

— Я еще приду, — сказал он, перед тем как за ним захлопнулся лифт.

Я вернулась в квартиру, тихо прикрыв дверь и заперев ее на два замка. Увидела свое отражение в зеркале и испугалась: мое лицо было красным. Словно меня окунули в томатный сок. Зачем он поцеловал меня? Как посмел? И что это за странное такое желание? Или же это его манера общаться? Кто-то при встрече пожимает руки, кто-то обнимается, а он, может, целуется?

Но в этот вечер я кое-что поняла про Иру. Я на себе прочувствовала притягательность Вадима, его магнетизм, все то, что держало в напряжении мою сестру все эти годы. Он имел власть над людьми, и о природе ее можно только догадываться. Захотел и взял — вот его жизненная позиция. И эта его уверенность, сногсшибательное обаяние, детская улыбка в сочетании с мощными, хлещущими через край и требовавшими удовлетворения инстинктами, превращали тех, кто находился рядом с ним, в его рабов, в жертв.

— Я не отдам тебе Иру, — прошептала я, включая чайник. — Не отдам.

Я расположилась за кухонным столом, принесла бумагу и ручку и принялась писать письмо в прокуратуру. Если не я, то кто? Кто расскажет миру о том, что Вадим убил своего деда? Что он убил Китаеву? А то, что это сделал он, я уже не сомневалась. Он же не отрицал своего неприязненного отношения к Китаевой. Он убил ее из-за ненависти и отчаяния. От бессилия что-либо исправить. Быть может, в этом убийстве и не имелось для него смысла, но я очень хорошо поняла его: он захотел лишить ее жизни, и он это сделал. Это было ничем не прикрытое желание отомстить. И получить удовлетворение. Так было всегда. Захотел — получил.

Я в подробностях описала все то, что говорила мне о нем Ира. Я рассказала историю убийства старика Караваева, и когда перешла к Китаевой, в кухню вошла, держась за щеку, розовая ото сна Ира.

— Мы должны его посадить, Ира, иначе он от тебя не отвяжется, — сказала я так, как если бы продолжала прерванный с нею разговор.

— Какая муха тебя укусила? Забудь, — произнесла она, усаживаясь за стол, без всякого интереса глядя на разложенные повсюду исписанные листы бумаги. — Что это?

— Черновики моего письма прокурору. Я подумала, что если мы с тобой не сообщим о Вадиме куда надо, то он, опасаясь, что ты можешь его выдать, сделает что-нибудь и с тобой.

Понятное дело, что я в это не верила, но сказала так, желая наказать Вадима за его нелюбовь к моей сестре, за цинизм и хладнокровие, с которым он отправил на тот свет своего родного деда, за все то, что он позволял себе, оставаясь безнаказанным.

— Зоя, опомнись... Как ты можешь писать о том, что он убил деда, если ты знаешь это с моих слов?! Значит ли это, что ты в этом письме ссылаешься на меня?

— Ну да... Конечно!

— Немедленно все порви!

— Но иначе он не отстанет от тебя!

— Говорю же — забудь. Что было, то было, деда уже все равно не вернешь. Доказать, что это Вадим убил Эмму, будет проблематично. Это всего лишь наши догадки. Что у нас есть? Лишь чек из кафе Эммы, где он был. Ну приехал он туда, чтобы посмотреть на нее, чтобы понять наконец, что она за человек, как выглядит, предположить, какие отношения могли связывать его деда с Китаевой, но кто сказал, что он пошел дальше, что поехал в Панкратово и убил ее? Думаешь, он ее выслеживал? Или нанял кого-нибудь?

— Я не знаю...

— Тогда собери все эти листы и сожги, прямо здесь, вот положи в тарелку и сожги!

— Но ты же сама сказала, что Вадим догадался о том, что ты знаешь об убийстве деда, о таблетках, ты ведь видела, как он их подменил.

— Я не буду давать показания против Вадима в суде. Ты пойми, он и так обречен.

— В смысле?

— Да конченый он человек! При таком образе жизни, который он ведет, долго не живут. Ну продаст он квартиру, ту, что на ВДНХ, отправится в очередной загул, влипнет в какую-нибудь криминальную историю... Или заболеет. Это раньше я следила за его здоровьем, кормила его, заботилась о нем, у него было какое-то ощущение дома, понимаешь, а теперь он один, совсем один... Пусть иногда он тяготился моим присутствием в своей жизни, я как бы мешала ему, создавала какие-то препятствия, пыталась контролировать его, опять же, переживая за него, понимаешь? А сейчас он предоставлен сам себе, он свободен и в то же время очень одинок. Я знаю, к примеру, что ему страшно спать одному, мы ложились в постель в обнимку, понимаешь? Мы складывались в одно целое, и ему было спокойно. Он во сне держался за меня, как за спасательный круг, извини, что говорю банальности. А сейчас он, ложась спать, хватает руками одеяло, возможно, заворачивает подушку в одеяло, представляя, что обнимает меня. Но я-то была теплой, живой... Вот так я представляю себе его жизнь без меня.

— Ира, я сначала не хотела тебе говорить... Он приходил.

— Когда? Когда я спала? — Она нахмурилась.

— Да. Я не впустила его в квартиру, мы разговаривали на лестнице.

— Что ему было надо?

— Он просил меня вернуть ему тебя.

— Понятно...

— Но это не все. Понимаешь, я так разозлилась на него, что сказала ему все, что я о нем думаю. И сказала, что я знаю и про деда, и про Китаеву...

— Зоя... Зачем? — Она закрыла глаза и отвернулась от меня, словно ей было больно видеть меня. — И что? Что он тебе сказал?

— Просто я хотела, чтобы он боялся...

— Что он тебе сказал? Как отреагировал на твои слова?

— Сказал, что и дед, и Китаева на кладбище... Он считает, что Китаева просто околдовала деда какими-то своими женскими чарами, он обзывал ее самыми последними словами... Он считает, что у них была интимная связь.

— Ну конечно, он же обо всех судит по себе. Как будто между людьми может существовать исключительно половая связь. Я же, можно сказать, жила в одной квартире с его дедом, я знаю, что это был за человек. Он не такой, понимаешь? И женщины его уже не интересовали, разве что с эстетической точки зрения. Никогда не поверю, что Китаева была его любовницей, это просто бред! Я скорее поверю в то, что она была мошенницей или гипнотизершей!

— Понятно... — Я не скрывала, что разочарована решением сестры не вмешиваться в ход расследования убийства Китаевой. — Вот так всегда. Убили человека, и все, кто мог бы помочь разыскать и наказать убийцу, предпочитают оставаться в стороне. Но ведь ее же убили! Зверски!

— Нет, Зоя, Вадим в этом отношении слабак... Даже чисто физически. Заменить таблетки он еще может, но вот наброситься на человека, тем более женщину, и пырнуть ее ножом, зарезать, да к тому же еще двух женщин... Нет, Вадим на это не способен.

— Значит, нанял кого-то... — неуверенно предположила я.

— Вот это больше похоже на правду. Вадим вообще любит нанимать людей. У него на этот счет своя философия. Он считает, что есть люди, которые рождены для того, чтобы служить другим людям. К примеру, еще до встречи со мной он нанимал женщину, которая приходила к нему мыть полы. Она мыла, а он сидел и наблюдал за ней, испытывая при этом удовольствие. Он говорил, что это было завораживающее зрелище. Нет, она, конечно, не только мыла полы, но еще протирала пыль... А он наблюдал. Он тогда заметил, что это удовольствие не имеет ничего общего с сексом. Что это другое. Разумеется, этот пример ни в коем случае не доказывает, что Вадим причастен к убийству, что он нанял кого-то, чтобы убить Китаеву, но тот факт, что он ненавидел эту женщину и считал ее воровкой, присвоившей деньги и квартиру деда, — факт.

— Ира, ты ведь не вернешься к нему?

— Нет. Хотя я, конечно, скучаю. Знаешь, странное такое чувство — и ненависть, и любовь... Нет, это уже не любовь, а что-то другое, похожее на чувство ответственности, как если бы он был когда-то моей собакой, щенком, который покусал меня, и мне пришлось его бросить... Все. Зоя, мне не хочется развивать эту тему. Скажи лучше, что у нас на ужин.

Я поднялась, достала из холодильника салат, колбасу и принялась готовить ужин.

Она еще не забыла его, и никто не знает, сколько пройдет времени, чтобы это произошло. Так думала я об Ире.

Моя сестра страдала, ей было больно, но я верила, что она сильная, что все выдержит.

— Больно? — Я подошла и обняла ее, потерлась щекой о ее припухшую измученную щеку.

— Больно... — прошептала она, ластясь ко мне. — Но не так, как раньше...

— Надо просто все это пережить, моя родная.

15. Катя Мертвая

Я сначала не поняла, где нахожусь. Незнакомые простыни, запахи, стены, комната, занавески. Потом вспомнила, и щеки мои запылали от стыда. Три подружки, выпив и осмелев, потревожили серьезных людей, следователей, разыскали их в Луговском, явились на ночь глядя со своими претензиями, советами. Ладно мы с Аней, но Нора-то! Она и постарше, и трезвая как стекло. Другое дело, что и ей тоже в гостиничном номере было не сладко, ее тоже терзала тоска. А так вроде и дело полезное пытались сделать, и развеяться.

Место на кровати рядом со мной было примято, я вспомнила, что спала с Аней. Да и подушка хранила аромат ее духов.

На мне была нейлоновая кружевная сорочка, вероятно, одолженная мне заботливой хозяйкой.

Людмила. Замечательная женщина, хорошая хозяйка и прекрасная жена. Вот такой и должна быть жена следователя или прокурора, оперативника или адвоката, человека, который в силу своей профессии редко бывает дома, а если и бывает, то не всегда один, зачастую приводит вот таких незваных гостей, коллег, свидетелей... По сути, Людмила не принадлежит себе и все делает для мужа, которого наверняка любит и уважает.

Людмила — героическая женщина.

Я встала, быстро переоделась, сложила постель, взяла заботливо оставленное хозяйкой на спинке дивана чистое полотенце, нашла ванную комнату, где привела себя в порядок. Судя по влажным полотенцам, которые я там нашла, мои подружки уже приняли душ.

В доме пахло блинами. Я вышла на крыльцо и увидела в саду за столом всю компанию, оживленно беседующую и бодро уминающую блины. За самоваром сидел, широко улыбаясь, следователь Азаров. Рядом с ним — Нора с задумчивым видом. Аня сосредоточенно сворачивала блин в трубочку, Евсеев держал в руках большую чашку, скорее всего с чаем. Марина сидела с отсутствующим видом и курила.

— Доброе утро, — сказала я, не зная, куда спрятать глаза от стыда.

— Садитесь за стол, — пригласила меня Людмила. На ней в это солнечное сухое утро была широкая темно-синяя юбка и белая блузка в голубой горошек. Волосы аккуратно зачесаны назад и заколоты в тяжелый узел.

Нора и Аня смотрели на меня, едва сдерживая улыбку. Конечно, если бы мы были втроем, то расхохотались бы над собственной же глупостью. Сейчас же нам было важно как можно скорее покинуть этот гостеприимный дом, в котором находиться стало просто мучением.

— Ну что, сыщицы, — тихонько покашляв в кулак, явно для привлечения внимания, сказал Дмитрий Азаров. — Думаю, что ваша миссия в этом деле закончена. Доверьтесь нам с Михаилом Евгеньевичем, профессионалам, и занимайтесь своими делами. Поверьте, все, что от нас зависит, мы сделаем.

Он говорил еще что-то, какие-то дежурные фразы, я же думала о том, где и с кем спал Азаров. Ужасно глупо, учитывая, зачем мы вообще прикатили в Луговское. Какая мне, в сущности, разница, кого из нас троих он предпочел. Тот факт, что ночью я, разбуженная, возможно, уханьем совы, сидящей на ветке яблони, или лаем собаки, каким-то образом поняла, что рядом со мной лежит Аня, еще не говорит о том, что она не могла лечь в постель после того, как провела пару сладких часов где-нибудь на сеновале или просто на траве в объятиях Дмитрия.

Нора? Я не очень-то хорошо была с ней знакома, о ней могла бы рассказать ее подруга Аня, но, по моему мнению, она человек серьезный и вряд ли позволила бы себе завести интрижку в то время, когда она страдала от неразделенной любви к мужчине со странным, как и все венгерские имена, именем Джеза. Хотя, может, Азаров напоил ее, когда все разбрелись по своим кроватям, и они оставались одни в саду?

Я знала, что никогда не задам вопросов, касающихся этой ночи, ни Ане, ни Норе, и предпочла направить свои мысли в приятное мне русло. Конечно, смерть Эммы — трагедия, и мне будет ее не хватать. Ведь многое в моей жизни было связано с Эммой, у нас оказались общие дела, цели, к тому же мы были очень близкими подругами, и у меня в первые дни возникло чувство, будто мне отрубили руку! Но надо жить дальше, двигаться в том направлении, которое мы для себя с Эммой выбрали...

— Я так считаю, Катя, когда у человека появляются деньги, то он не должен позволить себе опуститься. Ты понимаешь, о чем я? Конечно, покупать красивые вещи и объедаться деликатесами — это приятно, но до определенного момента. А потом наступает состояние пресыщения, когда тебя начинает тошнить от собственного отражения в зеркале. И ты понимаешь, что твой эгоизм поглотил тебя, и ты никак не можешь остановиться в желании удовлетворять свои растущие потребности и желания.

Вот сейчас у меня все есть, и хорошая квартира, и мое скромное кафе, которое неожиданно для меня начало приносить неплохую прибыль. Семьи у меня нет, детей — пока тоже. Я не такая уж красавица, чтобы надеяться на замужество...

Когда Эмма говорила о своей внешности, о том, что она считает себя некрасивой, я злилась. Ну, не то что прямо злилась на нее, нет, просто я не понимала, как можно не любить себя. Ее лицо было оригинальное, интересное, привлекательное. У нее были удлиненные к вискам большие глаза, маленький аккуратный нос, пухлые губы. Может, она стеснялась своих высоких скул или слишком маленького носа? Не знаю, не понимаю. На мой взгляд, она была хороша! Нежная белая кожа, густые, с рыжеватым отливом волосы.

— Меня неправильно слепили, — часто повторяла Эмма, глядя на свое отражение в зеркале и, вероятно, сравнивая себя с женщинами, которых считала красавицами.

Так вот, она считала, что в ближайшем будущем замужество ей не светит, а рожать ребенка без отца она не хотела.

— Понимаешь, надо делать в своей жизни что-то такое, что облегчит жизнь тем, кому намного труднее меня. Людей, которые нуждаются, много, но нельзя всем помогать. Во всем должна быть какая-то разумная система и мера...

Поначалу, когда деньги поплыли ей в руки, она путалась в своих понятиях и желаниях, напрямую связанных с благотворительностью, вероятно, она искала применение своим деньгам, которые могла бы тратить на что-то полезное. Мы с ней часто говорили об этом, и первое, что она решила, — это устраивать праздники для наших стариков из санатория, в котором я работаю. Она утвердилась в этом мнении еще больше, когда мы поселили там поэта Качелина.

— Представляешь, какую скучную жизнь они ведут! Давай будем устраивать им праздники, творческие вечера, приглашать известных артистов, но не только молодых, а и принадлежащих их поколению... Помимо организации этих вечеров, я беру на себя праздничные столы, пусть вспомнят вкус икры, хорошей колбасы, рыбы, коньяка...

Сколько раз я спрашивала себя, почему Эмма ни разу, размышляя о благотворительности, не вспомнила о детях-сиротах, о том, чтобы оказывать реальную помощь детским домам, интернатам. И только однажды Эмма призналась мне, что не может спокойно видеть брошенных детей, больных детей, что она готова взять под свое крыло какой-нибудь детский дом и оказывать им помощь, но через людей, которым доверяет, а не просто переводить деньги на счет этого учреждения.

— У меня сердце разорвется, если я буду каждый день видеть этих детей, я потеряю покой, сон... Считай меня малодушным человеком, трусихой, не знаю, как сказать... Я могла бы находить людей, готовых помочь детям деньгами, свести их с организаторами благотворительных фондов, оказывающих помощь детям с онкологией, к примеру, ты понимаешь, да? Но не навещать этих детей в онко-центрах, в больницах... Я даже видеть репортажи на эту тему не могу, потом хожу как больная...

Конечно, я не могла осуждать Эмму за подобное отношение к этой проблеме. Я знала ее как очень доброго и порядочного человека, но все люди разные, и каждый имеет право быть таким, какой он есть. Тем более что Эмма, при всех своих странностях и недостатках, занималась самой настоящей благотворительностью в самом высоком смысле этого слова.

Кроме того, что она проявила себя как успешный, хоть и начинающий ресторатор, Эмма была еще и тонко чувствующим творческим человеком. Имея диплом журфака университета и вынужденная на время оставить свои литературные амбиции, работая в кафе, она продолжала заниматься журналистикой и даже была внештатным корреспондентом нескольких московских изданий. Об этом мало кто знал, поскольку ее статьи выходили под разными псевдонимами. Думаю, что только мне она и показывала газеты и журналы с ее напечатанными статьями, не считая нужным афишировать эту сторону своей жизни подчиненным, исключая, конечно, преданную ей Василису.

Василиса Прекрасная — энергичная, всегда подтянутая и знающая свое дело. Румяная, грубоватая, сельского типа девушка с горящими глазами и большими руками, она была невероятно предана Эмме и вела себя по отношению к ней как готовая на все служанка. Совершенно не амбициозная, увлеченная работой, она круглые сутки проводила на своем рабочем месте. Под ее контролем были кухня, склад, финансы; она следила за работой поваров, официантов, барменов, уборщиц, бухгалтера, договаривалась с поставщиками продуктов и цветов, текстиля и моющих средств и держала в ящике своего рабочего стола книги записи и учета. Эмме оставалось только проверять ее записи, разрабатывать новое меню и заниматься рекламой. Они всегда хорошо ладили, и Эмма, может, была бы и не против как-то сблизиться с Василисой, подружиться, однако Василиса знала свое место и при этом всегда находилась рядом с хозяйкой. Эмма вызывала у Василисы искреннее восхищение. Я бы назвала это любовью. Василиса любила Эмму так же, как и я любила ее.

Мои мысли стремительно летели все дальше и дальше от Луговского и всего того, что стало для меня уже неинтересным и даже бессмысленным, как и сама поездка. Мне хотелось поскорее добраться до Москвы, до кафе, встретиться с Василисой и обсудить наши с ней дела, ведь теперь мне во многом придется замещать Эмму. Смогу ли я? Справлюсь? Сложатся ли у меня отношения с Василисой? И как отнесется коллектив к тому, что я стала практически единственной наследницей Эммы (не считая Валентины).

В какой-то миг мне вдруг стало даже нехорошо физически, когда я подумала о том, что все мои знакомые отвернутся от меня, отравленные подозрением о моей причастности к убийству Эммы.

Вот и тогда за столом в саду мне почудилось, что все смотрят на меня с подозрением, следя за каждым моим движением, сказанным словом. Возможно, всему виной мои расшатанные нервы?

Даже Азаров, как мне показалось, смотрел на меня странно, даже не смотрел, а словно разглядывал. Потом как-то смущенно улыбнулся, пожал плечами. Я, помнится, не выдержала и спросила сидящую рядом со мной Нору:

— У меня что, губы в сметане?

Но поймав взгляд Норы, подумала, что и она тоже смотрит на меня подозрительно и очень уж пристально.

— Катя, у вас в России что, мода такая — носить по одной сережке? — И она легонько так провела указательным пальцем по мочке моего левого уха. Я поймала взгляд Азарова, наблюдавшего теперь за нами обеими.

Я услышала вопрос Норы, но не восприняла его, ее слова пролетели мимо моего сознания. Однако машинально я коснулась пальцами мочки уха, и вдруг до меня дошло, что там нет сережки. Пощупала мочку другого уха — сережка на месте.

— Кажется, я потеряла сережку, — прошептала я Норе, продолжая смотреть на Азарова.

— Ничего, найдется, — улыбнулась она одними губами.

Мы уже позавтракали, и Людмила унесла в дом грязные тарелки, а когда вернулась, лицо ее было растерянно.

— Кажется, на этот раз я совершила преступление... — сказала она, краснея прямо на глазах. Все повернули голову в ее сторону. Видно было, что она держит что-то на ладони.

— Люся, что случилось? — Евсеев подошел к ней. — Что это?

— Катя, Аня, Нора, Марина, я наступила на чью-то сережку... И прошу меня извинить... Я ее сломала... Она хрустнула у меня под ногами, когда я складывала постель в комнате... Вот.

Она подошла к нам, и я увидела мою сережку, золотую, с лепестками с розовой эмалью, один лепесток оказался отломан, его не было.

— Это моя сережка, но ничего страшного! — сказала я, забирая ее из рук Людмилы.

— Искала этот отломанный лепесток, но не нашла, — продолжала переживать Людмила.

— Говорю же, забудьте! Если найдете, хорошо, а нет — невелика потеря! — В голове моей вихрем пронеслась очень уж нехорошая, просто сумасшедшая мысль, что я теперь, из-за смерти Эммы, стала невероятно богата и что при желании могу купить себе брильянты, дома и вообще отправиться жить куда-нибудь в Италию или Францию. От этой теплой, даже обжигающей мысли меня бросило в пот. — Людмила!.. Думаю, что я выражу мнение всех... Вы — прекрасная хозяйка, и мы очень благодарны вам за гостеприимство... Если что не так — просим нас извинить...

После моих слов все как-то задвигались, засобирались. Азаров пожал руку Михаилу Евгеньевичу, поцеловал ручку Людмиле и они с Мариной пошли к его машине. Мы втроем — я, Аня и Нора — последовали к воротам.

— Катя! — внезапно услышала я голос Азарова. — Вы не могли бы поехать с нами?

Я остолбенела. Это еще зачем?

— Мне надо в кафе, поговорить с Василисой, — объяснил Дмитрий. — Но перед этим я хочу задать и вам несколько вопросов...

— Ну хорошо... Только у Норы нет доверенности на мою машину. Вдруг остановят?

— Хорошо, тогда поезжайте втроем, а я подъеду в кафе, договорились?

— Договорились.

Казалось бы, он не сказал ничего особенного. Просто хотел, я думаю, поговорить со мной о Василисе, чтобы потом уже беседовать с ней. Но у меня почему-то испортилось настроение. Сразу. Да и вообще по дороге в Москву мы все молчали. И Аня, и Нора.

И вот тогда там, в машине, я вдруг физически ощутила весь груз, который свалился на мои плечи вместе с завещанием Эммы. Она оставила мне в наследство не только деньги, но и все свои незавершенные планы, проекты, идеи и мечты. И теперь много глаз будет следить за каждым моим шагом, негласно контролировать каждый потраченный мною рубль. Роль наследницы огромного состояния стоила мне свободы!

— А мы с Азаровым ночью ездили в Панкратово, — вдруг сказала Нора, глядя на дорогу. — Больше никогда не буду пить водку.

16. Следователь Дмитрий Павлович Азаров

Следующая неделя была сумасшедшей. На меня давили, требовали, чтобы я определился уже с кругом подозреваемых. Но круг оказался большой, и практически ни у кого из подозреваемых не было алиби.

— Марина Болотова, потенциальная соперница Китаевой, — утверждает, что она была в ночь убийства Китаевой дома. Борис, ее муж, — подтвердить ее алиби не может, потому что был на работе, в своем архитектурном бюро. Алиби ненадежно.

— Саша, возможно, любовник Марины, он мог действовать (убить по просьбе Марины) — был дома. Его алиби никто не может подтвердить. Ненадежно.

— Валентина и ее муж (семья родственников Китаевой с большими финансовыми проблемами, которые могли бы частично решиться в случае смерти Эммы) — были в момент убийства дома и готовы подтвердить алиби друг друга. Ненадежно.

— Катя Мертвая. Обломок Катиной сережки, который я вернул в карман одежды Норы, не давал мне покоя. Катя была, пожалуй, единственным человеком, которого я не мог подозревать в силу ее личностных качеств, попросту я увидел в ней настоящего, порядочного человека! Но как в Панкратово в доме Зоси мог оказаться обломок ее сережки? К тому же Катя — наследница огромного состояния Эммы (пусть даже большая часть этих денег и недвижимости была доверена Китаевой для благотворительной цели и на определенных условиях). Мотив убийства — мощный. В момент убийства Катя была дома. Алиби нет.

— Нора. У нее-то мотива не было, и я бы никогда не заподозрил ее в причастности к убийству Эммы, если бы не ее подозрительно сильное желание оказаться на месте преступления. Плюс ее молчание, при наличии мощной улики против Кати — обломка золотой сережки.

Почему она молчит? И зачем ей так уж понадобилось в ту ночь уговаривать меня отправиться в ночное путешествие в Панкратово? Может, она что-то знала о Кате? Ведь не зря же она постоянно твердила о том, что эксперты могли оставить в доме Зоси важную улику, не заметить ее. Либо она искренне желала помочь следствию и внести свой вклад в расследование, попытавшись найти улики в Панкратово, либо она точно знала о причастности

Кати к убийству и знала, что ищет. Искать она могла по поручению Кати, либо, каким-то неизвестным образом узнав о том, что Катя убийца, решила доказать это.

И вот она находит улику, но почему-то не сообщает об этом мне, следователю. Почему? Чтобы защитить Катю? Но не в таких уж они дружеских отношениях, все-таки живут в разных странах, и Нора подруга Ани, а не Кати... Либо Нора с Катей в сговоре, и вся эта кажущаяся легкомысленной поездка в Луговское на самом деле важное дело, целью которой как раз и было найти золотой лепесток Катиной сережки?

Ох уж эти женщины! Да, может, они и не были пьяные, а лишь разыгрывали из себя таковых?

Следов пребывания Кати, Ани, Норы, Марины, Саши в доме Зоси не было. На ножах были лишь отпечатки Зоси, но это естественно, если учесть, что это ее кухонные ножи, которыми она пользовалась.

— Вадим (внук писателя Караваева). Я встречался с ним, мутный тип, но видно, что белоручка. И слишком уж красивый. Отвратительный тип. Из тех молодых мужчин, за которыми бегают женщины.

Алиби у него тоже мутное. Он говорит, что был пьян, что не помнит, где, даже в какой стране, он был. И что его алиби может подтвердить его девушка, Ира.

Я узнал, что она работает в стоматологической клинике сестры, и отправился туда, предварительно договорившись о встрече.

Но сначала решил поговорить с ее сестрой, Зоей.

Нашел ее в кабинете. Очень серьезная женщина. Темные волосы, большие черные глаза, пунцовые губы, бирюзовый медицинский халат. Она нисколько не удивилась, узнав, кто я.

— Давно ждала подобного визита, — призналась она мне. — Хотите кофе?

— Нет, спасибо. Скажите, Зоя, в каких отношениях ваша сестра Ира находится с Вадимом Караваевым?

— Они расстались.

— Давно?

— Несколько дней тому назад.

— Что вам известно об Эмме Китаевой?

— Это женщина, которой дед Вадима завещал все свое состояние. Которая, по сути, оставила Вадима нищим.

— А что вы об этом думаете?

— Меня это не касается. Да и моей Ире эта история уже поперек горла.

— В смысле?

— Вадим просто взбесился, когда узнал о завещании, и начал трепать нервы моей сестре. Пил и все такое. Ей это надоело, и она от него ушла.

— Вам что-нибудь известно об Эмме Китаевой? Какие отношения ее связывали с покойным Караваевым?

— Я знаю только со слов сестры... А она, в свою очередь, со слов Вадима. Так вот, он считает, что Китаева и Караваев были любовниками, что она обольстила, околдовала богатого писателя, втерлась к нему в доверие и убедила или вообще заставила его написать завещание в свою пользу.

— Вам, я думаю, известно, что Эмму Китаеву убили.

— Да-да, я же говорю, что давно уже поджидала кого-нибудь из ваших. Знала, что меня будут спрашивать о Вадиме и о том, что я думаю по этому поводу... Вы же хотите спросить, не мог ли он убить Китаеву? Я вам так скажу: он слишком для этого ленив и инертен, во-первых; во-вторых, сам лично он точно бы это не сделал, но мог кого-нибудь попросить... Я хочу сказать, что он мог сгоряча заказать Китаеву. Но смысл? Денег у него от этого не прибавилось бы. Разве что удовлетворил бы свое желание отомстить. Но у него помимо этих желаний очень много других, и не менее сильных. Он — великий эготист, эгоист, эротоман... Я ненавижу его, понимаете? Он чуть не разрушил жизнь моей сестры, которая испытывала, а может, и сейчас испытывает к нему страсть... Я уверена, что она много чего знает о Вадиме, но если дело касается Китаевой, то ни за что не расскажет. И алиби ему обеспечит, скажет, что они были вместе.

— Но вы же сказали, что они расстались...

— Это я постаралась, чтобы они расстались. Но я не верю в ее такое вот стремительное исцеление от любви, поэтому предупреждаю вас — она вам его не сдаст, даже если и подозревает его в убийстве Китаевой.

Я понимаю, что предаю сейчас свою сестру, что рассказываю о ней то, что, быть может, не стоит рассказывать. Но я хочу, чтобы вы поняли — с ней разговаривать бесполезно. Просто потратите время.

Я слушал ее и понимал, что только любовь к сестре двигала Зоей, когда она рассказывала об Ире. И что, говоря так о ней, она словно пыталась защитить ее от меня, поскольку моя беседа с Ирой будет для девушки болезненной, она станет переживать за Вадима, в чувствах к которому запуталась. А может и сорваться, вернуться к нему, чего больше всего боялась, как я понял, Зоя.

Но у меня на Вадима ничего не было. Никаких улик. На самом деле, какой ему смысл убивать Китаеву? Мало того что он остался ни с чем, так еще и тюрьма? Я же виделся с ним, разговаривал, с таким, как он, в тюрьме церемониться не станут, он там погибнет в первый же месяц, если не через несколько дней.

— Не мое это, конечно, дело, но железный мотив теперь есть у того, кто унаследовал «китаевское» богатство, — заметила Зоя. — Не так ли?

Я попросил ее пригласить Иру. Нам принесли кофе в маленькую комнату, за ординаторской. Два низких дивана, веселые зеленые занавески на окнах, на стеллажах учебники по медицине, чашки, коробки шоколадных конфет, сувениры.

Ира была очень похожа на свою сестру, только значительно моложе. Однако под аккуратно наложенным макияжем просвечивало лицо уставшей и разочаровавшейся во всем взрослой женщины. Кажется, в мире не существовало ничего, чего бы она не видела или не пережила. Однако нашла в себе силы подняться, отряхнуться и начать новую жизнь. Безусловно, такой психологический портрет мне не удался бы без помощи Зои.

Гладко зачесанные волосы открывали высокий лоб. Тонкие брови, губы чуть тронуты бледно-розовой помадой. На Ире были белые брючки и такой же халатик с кармашком, в котором виднелась красная ручка.

Я представился, сказал, что хотел бы поговорить с ней о Вадиме Караваеве.

— Да, я все понимаю... — сказала она, тихонько так, судорожно вздыхая. — Вы ищете убийцу Эммы Китаевой. И подозреваете всех и каждого.

Скажу так: я понятия не имею, какие отношения связывали Эмму Китаеву с дедом Вадима, но отношения эти были чистые, если так можно выразиться. Конечно, я могу и ошибаться, и Китаева могла его, скажем, загипнотизировать, но что-то подсказывает мне, что она была хорошим человеком. Караваев-старший не мог бы обмануться в ней, просто не мог. К тому же у них на самом деле были какие-то свои дела, я имею в виду, литературные. Они втроем — Караваев, Качелин и Китаева — часто сидели в гостиной и о чем-то оживленно беседовали. Чем, кстати говоря, сильно дразнили Вадима. Если бы знать, что все так сложится, уж я бы подслушала, честное слово...

— Можете что-то вспомнить?

— Лично я слышала что-то о переводчике по фамилии Хазиров или Хазыров. Кажется, ему звонили, но никак не могли застать на месте, он куда-то уезжал, что ли... Вот поэтому-то я и решила, что они занимались литературными делами. Даже промелькнула мысль, что Китаева собирается проспонсировать какое-то издание, возможно, перевод книги или что-нибудь в этом духе. Разве могла я тогда предположить, чем закончатся эти литературные посиделки?

— Эмма Китаева строила пансионат для людей искусства, для тех, кто уже не может позаботиться о себе... — сказал я, наблюдая за реакцией Иры. — И все деньги были потрачены на это благое дело. Можете быть уверены, что и большая часть собственных средств Китаевой также пошла на строительство усадьбы в Сухово...

Ира медленно подняла голову и посмотрела на меня удивленным взглядом:

— Вы это серьезно?

— Прошу вас не говорить никому об этом, поскольку работы еще не завершены, и теперь всеми этими делами занимается ее близкая подруга... Я же рассказал вам об этом, чтобы вы не думали дурно об Эмме Китаевой. Поверьте мне, это была весьма достойная особа, добрейшей души человек. По образованию журналист, она тем не менее занялась бизнесом... Ну, жизнь так сложилась, понимаете? Тем не менее ей удавалось совмещать свою работу в кафе с журналистской деятельностью. И было бы грустно узнать, что ее кровь — на руках вашего приятеля Вадима...

— Я уже разговаривала с сестрой, но и вам скажу... Даже если предположить, что Вадим хотел ее убить, то, поверьте, он сделал бы это чужими руками. Только доказать это будет невозможно. Он варится в очень пестром человеческом котле, где люди в угаре не помнят, кто они, где и когда... Алкоголь, наркотики там соседствуют с талантом и даже с гениальностью. Вадим дружит с художниками, артистами, поэтами, киношниками... И если ему понадобится алиби, то, будьте уверены, он его раздобудет. Десятки людей в Москве подтвердят самое невероятное алиби. Скажут, что он охотился с ними на леопардов, и даже билеты сделают на его имя...

— А чем же он, Вадим, так интересен?

— Во-первых, он очень красив, во-вторых, он прекрасный компаньон и друг, и, в-третьих, с ним всем легко... Он как украшение любой компании, как талисман. Вот такая у него профессия.

— Ира, скажите, ваш красивый талисман способен в принципе на убийство?

— Да он и есть убийца, — сказала, глядя мне прямо в глаза, не мигая, Ира. — Он деда своего убил. Ускорил его смерть, заменив таблетки. Так ему хотелось поскорее заполучить себе квартиру, деньги деда... Перешагнул черту, преступил, понимаете, стал преступником, а дед оставь все Китаевой...

— Ира! Вы это серьезно?

— В суде не скажу, не смогу, слишком уж мы тесно были связаны, я имею в виду эмоционально, я же любила его... Но... Если деда убить смог, то Китаеву — и подавно... И мне жаль, поверьте, что у вас на него ничего нет... Если он что и сделал, то только чужими руками... Поэтому никакого его присутствия в той деревне не найдете...

— Про смерть деда вы можете подробно рассказать все, что знаете?

— Нет. Я и так слишком много сказала.

Она замолчала, и я понял, что она больше ни слова не скажет о Вадиме, против Вадима. И этот свой порыв она совершила вполне осмысленно и с единственной целью — возненавидеть того, кого она еще не так давно любила. Сильно любила. Иногда взгляд человека, его движения, просто поворот головы или определенные интонации голоса рассказывают о нем гораздо больше, чем факты биографии, хроника и мотивы поступков. Вот и тогда, глядя на Иру, на ее печальные глаза и поджатые губы, я понял, с каким трудом она вырывает из сердца Вадима — с кровью, с мясом. И помогает ей в этом самый близкий ей человек — сестра.

— Вы помогли мне, — сказал я ей, поднимаясь. — Спасибо.

— За что спасибо? Я же сказала, что вы не можете рассчитывать на меня в суде...

— Я понял.

Говоря это, я испытал неприятное чувство неудовлетворенности от своей работы, не приносящей мне пока что никаких результатов. Вадим, может, и убил своего деда, да только теперь вряд ли это докажешь. Хотя этим фактом можно было бы напугать Вадима. Блеф — не самый плохой способ добиться правды от таких слабаков, каким я считал Вадима.

Получалось, что подозреваемых много, но ни одной улики у меня на них не было! Ни отпечатков пальцев, ни следов обуви в Зосином доме...

Но что-то подсказывало мне, что все эти мои подозреваемые — словно коллекция фальшивых монет. И что всех их мне подбросили для того, чтобы отвлечь от главного и очень серьезного мотива, которого я пока не улавливал.

По опыту знаю, что зачастую выстреливают самые мелкие и, казалось бы, не заслуживающие внимания детали. Какие-то мелочи, пустяки...

Жирная улика — золотой лепесток, отломанный от сережки Кати Мертвой, если следовать этому принципу, самое неправильное направление, ложное, обманчивое и состряпанное кем-то на скорую руку. И как это мои ребята не заметили эту золотую штуковину? Значит, кто-то подкинул? Или все-таки эксперты не заметили?

И почему, почему молчит Нора? Покрывает Катю? Чушь собачья!

Может, это Нора подкинула туда этот лепесток, но тогда почему же она не обратила на это мое внимание? Ничего не понимаю.

Внезапно в клубке мыслей сверкнуло слово. Сверкнуло и погасло. Я никак не мог его поймать, оно ускользало, дразнило меня. И вдруг мягко, как гусиное перо, опустилось на мое воспаленное сознание.

Переводчик.

«Лично я слышала что-то о переводчике по фамилии Хазиров или Хазыров...»

Я словно услышал Иринин голос:

«Кажется, ему звонили, но никак не могли застать на месте, он куда-то уезжал, что ли...»

«...промелькнула мысль, что Китаева собирается проспонсировать какое-то издание, возможно, перевод книги или что-нибудь в этом духе».

Думаю, не так уж трудно найти в Москве переводчика по фамилии. К тому же жив-здоров, к счастью, поэт и переводчик Сергей Иванович Качелин! Уж он-то точно может пролить свет на эту историю с переводом, а заодно и рассказать о том, как они с Караваевым решили доверить Эмме Китаевой все свои деньги.

Надо срочно позвонить ему и встретиться. А живет он в санатории, вернее, в пансионате «Солнечный дом», где работает Катя Мертвая.

И снова я услышал голос Ирины:

«Разве могла я тогда предположить, чем закончатся эти литературные посиделки?»

Но как переводчик может быть связан с двойным убийством?

У меня была запланирована встреча с Вадимом Караваевым, но после разговора с Ирой я почувствовал всю бессмысленность этого направления. К тому же найти этого прожигателя жизни моему помощнику так и не удалось. Вадим Караваев имел способность телепортироваться, используя в качестве стартовых площадок чужие постели, автомобили, самолеты, паромы, СВ-вагоны...

Как там сказала Ира о его покровителях: «Десятки людей в Москве подтвердят самое невероятное алиби. Скажут, что он охотился с ними на леопардов, и даже билеты сделают на его имя...»

Я лично был знаком с одним человеком, профессионально занимающимся устройством алиби. На него работало огромное количество людей в самых разных сферах человеческой деятельности. Его бюро работало в основном на неверных супругов, однако кто знает, с какими проблемами к нему обращались преступники! Алиби — оно и в Африке алиби. Драгоценное алиби — спасение от тюрьмы.

Интернет пестрит рекламными, греющими душу текстами: «Мы обеспечиваем алиби тем, кто хочет немного поразвлечься на стороне, не вызывая при этом ревности у своей половины. Например, фаль-сифицируем билеты на самолет или поезд для предъявления их супруге, рисуем групповое фото с «научного симпозиума» или разыгрываем целый спектакль, снимающий с подозреваемого все обвинения...»

Как говорится: спрос рождает предложения.

Так что поймать за хвост Вадима Караваева было делом довольно трудным. Хотя и не невозможным.

И я бы вцепился в него, схватил зубами за горло, если хотя бы на пятьдесят процентов допускал возможность того, что это он зарезал Эмму.

Я вышел из стоматологической клиники, благодаря бога за то, что у меня не болят зубы, сделал несколько глубоких вздохов, прочищая легкие от специфического запаха медицинских препаратов, сел в машину и поехал в «Солнечный дом», где, собственно, и надеялся побеседовать с Сергеем Качелиным.

17. Валентина

Катя уже уехала, а я все стояла на крыльце здания, в котором находился пельменный цех, с папкой, набитой документами, свидетельствующими о том, что мы с ней владеем поровну этим богатством, и не могла пошевелиться.

Богатство, как прохладный летний дождь в знойное пекло, обрушилось на мою больную от забот голову.

Мои пальцы сжимали кольцо с ключами — залог моего счастливого будущего. Ключи от квартиры, которую я еще даже не видела! Квартира. Просторное и уютное слово, от которого даже голова кружится.

Пельменный цех, квартира и свобода на одной чаше весов, Игорь — на другой.

Вернее, не так. Готова ли я продать, потерять Игоря за все это богатство?

Я закрыла глаза и увидела гротескные физиономии всех тех женщин, с которыми мой муж крутил романы, как мы с ним поженились. Откуда-то вылезла и голова никогда мною не виденной «старухи» (характеристика анонима, подкинувшего мне полгода тому назад письмо, в котором говорилось, что моего мужа содержит любовница-«старуха» сорока пяти лет) с повисшей на длинном носу паутиной, весело подмигнувшей мне: мол, так-то вот, милочка!

Бездельник, грубиян, эгоист, скотина и сволочь — все эти слова сплелись в моей голове, превратившись в клубок змей, до сегодняшнего дня отравлявших мой брак с мужчиной, которого я когда-то любила.

Он всегда жил только для себя, делая вид, что заботится о нас, а на самом деле проживал жизнь параллельную, полную острых ощущений, обмана, подлости и предательства по отношению к нам с Мишей. И Эмма, которая наверняка знала об Игоре гораздо больше меня и так и не нашедшая в себе силы рассказать мне об этом, быть может, жалея меня, дала мне шанс начать жизнь с чистого листа.

Неужели лишь ее смерть могла открыть мне глаза на моего мужа?

Ведь она не зря приезжала ко мне и намекала, намекала на то, что мне надо порвать с Игорем. Почему я ее не послушала? Злилась на нее за ее богатство, завидовала ей и даже ненавидела ее! А она в это время думала обо мне, купила этот цех, квартиру... Кто знает, если бы я послушала ее и развелась с Игорем, она раньше впустила бы меня в эту квартиру и подарила бы пельменный цех. Может, как раз в тот день, когда убийца переступил порог дома в Панкратово, чтобы убить ведьму Зосю, Эмма могла бы заглянуть ко мне на чашку чая, и мы бы с ней заговорились, и она пропустила бы звонок своей подруги из Венгрии, и не поехала бы в эту чертову деревню договариваться с Зосей, и не погибла бы?!

Слезы хлынули, горячие, горькие, я стояла на крыльце, не в силах пошевелиться, и оплакивала мою Эмму, моего ангела-хранителя, и небо темнело над моей головой, тучи собирались выплакаться еще теплым августовским дождем.

Двухэтажное строение, на крыльце которого я стояла, представляло собой старый купеческий особняк, отремонтированный и выкрашенный в веселый желтый цвет. Дом визуально был разделен на четыре части, одну из которых занимал цех с расположенной на втором этаже и ставшей моей квартирой, а три другие состояли из трех двухуровневых квартир, в которых жили, по словам Кати, сотрудники какого-то космического НИИ.

Я спустилась с крыльца, являвшегося входом в цех и расположенного в задней части строения, обошла дом, оказалась в тихом, с тополями и кустами сирени, дворе. Поднялась на крыльцо, вошла в подъезд, увидела на первом этаже одну «слепую» дверь, за которой находились производственные помещения, поднялась на второй этаж и замерла перед новенькой металлической дверью, но оформленной под дерево. Открыла ключами и вошла.

Рукой нащупала выключатель. Вспыхнул свет, и я увидела широкий коридор с паркетным полом, белые застекленные двери.

Мысленно я уже скользила по паркету в мягких тапочках и домашнем шелковом халате, варила себе какао на завтрак, читала на ночь сказку Мише, устроившись возле его кроватки, спокойная, умиротворенная, забывшая напрочь о ночных бдениях-ожиданиях возвращения моего котяры-мужа.

Ведь теперь все будет по-другому!

Я открывала двери и видела просторные комнаты. Эмма позаботилась о том, чтобы у нас с Мишей было все необходимое: кровати, диваны, стулья, столы, шкафы...

В холодильнике, который неслышно работал, я нашла несколько баночек с паштетами, рыбными консервами и джемами. На полке в кухонном шкафу — банку с растворимым кофе, коробку с черным чаем и пачку сахара.

Повсюду чувствовалась заботливая рука Эммы. Мое лицо было мокрое от слез.

Когда же в большой комнате на столе я увидела толстый конверт, надписанный: «Валентине», то почувствовала, как слабеют мои ноги.

Оттуда выпала открытка от Эммы, сентиментальная, в маках, васильках, пчелках с золотой тисненой надписью «Счастье в твоих руках». В этом была вся Эмма.

Внутри открытки было написано ярко-синими чернилами: «Валюша, дорогая, как же я рада, что ты приняла наконец решение расстаться с Игорем. Ты — чудесная, замечательная женщина и заслуживаешь счастья. Надеюсь, что ты сделаешь все правильно и не вернешься в свой ад. Но если ты все ему простишь и позволишь ему перешагнуть порог этого дома, это будет только твое решение. Обнимаю, Эмма».

В конверте были и деньги. Много денег. Подъемные, услышала я голос Эммы. Да, она словно присутствовала где-то рядом, я чувствовала ее дыхание и даже улавливала аромат ее цветочных духов.

— Я не подведу тебя, — сказала я, обращаясь к Эмме и глядя на гладкий белый потолок. — Я разведусь. Вот прямо сейчас и поеду к адвокату. Катя мне подскажет...

Мишу я оставила у соседки. Теперь, когда у меня появились деньги, я смогу найти няню для Миши, а сама начну работать в цехе, думаю, женщины, которых я там видела, помогут мне во всем разобраться. Да и Катя поможет.

Мысли вихрем кружились в голове, думаю, у меня тогда поднялась температура. Страх потерять все это из-за Игоря, который, узнав о свалившемся на меня богатстве, не оставит меня в покое, вызвал у меня панику, я понимала, что мне надо как-то обезопасить себя. Мало смысла в юридических нюансах, не зная, закреплены ли условия передачи мне жилья и бизнеса погибшей сестрой, не контролируют ли меня, но подозревая, что не все так просто и что мне нужно быть предельно осторожной, чтобы не потерять все, что мне само пришло в руки, я решила действовать.

Первое, что я сделала, выйдя из квартиры, это заказала такси и поехала в магазин электротоваров, где толковый консультант посоветовал мне, какую модель диктофона выбрать. Понимая, что столкновение с Игорем неминуемо и что он, проныра, может узнать об условиях завещания, о неизбежности развода, я боялась грандиозного скандала.

Я понимала, что он один ипотеку не потянет, разве что ему поможет какая-то там «старуха», вероятно, одна из его любовниц. При разводе, даже оставив Игорю квартиру с мебелью, я не потеряю ничего, а только приобрету. А вот Игорь может растеряться. Бывали дни, кода у него не было денег даже на сигареты! А кто его будет кормить? Оде-

Анна Данилова

вать? Обстирывать его? Гладить его рубашки и чистить ботинки? С моим уходом он лишится той женской заботы, которой пользовался все годы нашей совместной жизни, не компенсируя мне ни любовью, ни лаской, ни деньгами. Он будет лежать на диване в темной комнате, одетый и в ботинках, и умирать от голода. Вот такую картинку я себе нарисовала, думая о его будущем. Странное дело, подозревая его в связях с разными женщинами, которые, безусловно, подкидывали ему денег, я ни разу не представляла его с ними, картинка сытой и красивой жизни в окружении ухоженных любовниц не получалась. Быть может, это происходило оттого, что я просто не хотела верить в его измены и старалась видеть в нем мужа-добытчика? Думаю, что так. И вот сейчас, когда мне выдался уникальный случай представить себе мою жизнь без него, да еще в новых и весьма комфортных условиях, я увидела в нем лицо законченного негодяя.

А себя ощутила полной дурой, слепой и глухой, и не желающей разрушать то, чего и не было вовсе!

Развод — это решено, и наш разговор с Игорем, вероятно, неизбежен (даже если мне удастся договориться с адвокатом вести все переговоры без меня, Игорь все равно меня найдет, я его знаю), а потому я решила к нему как следует подготовиться, и, вернувшись домой, воспользовавшись отсутствием мужа, битых два часа тренировалась делать записи на диктофоне.

Я чувствовала необыкновенный прилив сил, мне казалось, что я стала выше ростом, распрямилась и даже как будто стало легче дышать.

— Малыш, — сказала я, прижимая к себе сынишку и целуя его теплую кудрявую головку, — давай-ка мы сейчас с тобой соберем вещи и отправимся на новую квартиру!

Миша улыбнулся, как если бы на самом деле что-то понял.

Посадила его в кроватку, достала большую сумку и принялась складывать туда наши вещи, документы. Я торопилась, мне не хотелось, чтобы за этим занятием меня застал Игорь. Получается, что я пока еще не была готова к разговору. Хотя диктофон находился у меня в кармане фартука. Я вообще люблю фартуки и не понимаю, как многие женщины обходятся без него. Фартук — очень удобная вещь. Особенно вместительные карманы, куда можно положить все, что нужно: носовой платок, подобранные с пола пуговицы, гвоздики, бутылочные пробки, детские игрушки...

Или вот теперь — диктофон.

Но в тот вечер он мне не понадобился. Я быстро собрала самые необходимые вещи и продукты, сложила и завязала в узел детскую постель, заказала такси, и, оставив на столе записку: «Я подаю на развод, не ищи меня», мы с Мишей поехали на новую квартиру.

Я действовала как во сне. И такси, увозившее меня в новую жизнь, казалось с крыльями — так быстро мы двигались по шоссе.

Прижимая к груди сына и машинально баюкая его, я молилась об одном — чтобы все это не закончилось, чтобы ключи, которые я везла в своей сумке, не исчезли, не испарились, как это бывает, когда просыпаешься и оказывается, что тот рай, в котором ты провел незабываемые мгновенья, был всего лишь сном.

Водитель такси помог нам поднять вещи, за что я ему хорошо заплатила.

Конечно, ключи не исчезли, мы вошли в наш новый дом, и я хорошенько заперлась на все замки.

Включила повсюду свет, вскипятила воду для чая, достала посуду. Разложила на столе привезенные продукты: молоко, хлеб, кашу для Миши и колбасу для себя, и мы с ним поужинали.

Постелила нам с сыном в спальне постель, мы искупались и легли спать. Миша уснул сразу, а я долго лежала, глядя на плывущие по стенам тени деревьев, освещенные фарами проезжающих за окнами машин, и представляла себе лицо Игоря, читающего мою записку.

Телефон я, понятное дело, отключила. Надо бы вообще поменять сим-карту, решила я.

Его лицо... Лицо, которое я так любила... Сначала он нахмурится, потом верхняя губа его искривится и дернется вверх, обнажив зубы. Такая гримаса презрения и ненависти. Возможно, что кулаки его сожмутся в бессильной ярости. Он начнет метаться по квартире, искать нас с Мишей, понимая, что это напрасно. Что такие записки просто так не пишутся. Конечно, он в первую очередь подумает, что я каким-то образом узнала о его измене, и все его мысли потекут именно в этом направлении: как я узнала? Кто мне сказал? И губы сами будут шептать какие-то глупые фразы типа: «никому не верь», «ты дура, раз поверила анонимке», «я люблю только тебя»... Если раньше, когда была жива Эмма, он мог бы поехать к ней, уверенный в том, что я спряталась у нее, то теперь, когда Эммы нет, куда он сунется? Что он вообще знает о моей жизни? Есть ли у меня подруги? Другие родственники или близкие люди? Я досталась ему фактически одна, без родителей, и единственной родственницей была Эмма, которую он ненавидел за то, что она отказывалась давать мне деньги.

В полицию он не обратится из страха выглядеть глупо. Тем более что есть моя записка, где ясно сказано, чтобы меня не искали. И что дальше?

Возможно, он поедет к своей любовнице, чтобы его пожалели. Почему, когда я даже мысленно произношу слово «любовница», я представляю себе все ту же абстрактную старуху с седыми космами, во фланелевом халате и с клюкой? Быть может, именно поэтому я не испытываю боли, думая об измене мужа? Или же все гораздо проще: я разлюбила его?!

Сон на новом месте был тревожный, я часто просыпалась, мысли о будущем разговоре с Игорем не давали мне покоя. И только под утро вихрь моих мыслей успокоился, и я твердо решила не встречаться с мужем и поручить вести все переговоры моему адвокату, которого должна непременно нанять в самое ближайшее время. Но куда деть Мишу?

Позвонить соседке и позвать сюда? Заплатить ей, чтобы она молчала и не сообщила Игорю мой новый адрес?

Утром я позвонила Кате, объяснила ситуацию, попросила ее помочь мне. Извинилась, что потревожила ее, на что Катя спокойно сказала мне, что я могу положиться на нее, как положилась бы на Эмму. Она сказала, что приедет за мной вместе с официанткой Лерой, которая и посидит с малышом.

Они приехали через час, Миша играл в своей кроватке после завтрака, я же, одетая, сидела на диване, крепко держа в своих руках сумочку с деньгами, готовая в любую минуту броситься к дверям. Нервы мои были напряжены, я чувствовала, что даже плечи мои стали словно каменные.

И когда раздался звонок, я так вздрогнула, что сумочка выпала из моих рук на пол.

Катя с Лерой приехали не с пустыми руками. Они привезли все необходимое для Миши на первое время: молочные смеси, памперсы, даже игрушки. Из кафе Катя привезла в контейнерах еду для меня.

— Ты, главное, ничего не бойся. Сейчас поедем к адвокату, это очень хороший человек, он тебе поможет. Антипенко Юрий Петрович.

— Эмма оставила мне деньги... — сказала я ей на ухо.

— Адвокат работает на меня, и твой развод — это мое дело, дело Эммы, понимаешь? Так что ни о каких гонорарах адвокату голову себе не забивай. Сообщишь ему данные Игоря, надеюсь, документы о браке у тебя?

— Да-да, я все взяла...

— Ну вот и отлично. Повторяю — ничего не бойся. Даже если Игорь разыщет тебя, дверь ему не открывай. И никаких переговоров не веди. Ты приняла решение — а это самое главное. У тебя начнется совершенно новая жизнь, и первое время я буду тебе во всем помогать.

— Но почему? Зачем тебе это надо?

— Я исполняю волю Эммы, — сказала она дрогнувшим голосом. — Насколько я понимаю, тебе нужно найти няню. И об этом я тоже позабочусь. Или у тебя есть кто-то на примете?

— Нет-нет, никого.

— У меня есть одна женщина, старшая сестра нашей Василисы Прекрасной. Она работала в одной семье няней, но эти люди уехали за границу. Они звали с собой Галю, но она не решилась... Если она еще не нашла себе работу, то, считай, твоя проблема решена.

Я слушала ее и думала о том, что даже если Катя решит все мои проблемы, я все равно не смогу воспринимать ее как близкого человека, а вот какие бы сложные отношения у меня ни были с Эммой, она моя сестра, пусть и двоюродная, и мне не стыдно было ей признаваться в своих слабостях. В тот момент, когда жизнь моя разломалась на две части — до гибели Эммы и после — и я как бы зацепилась за острые края этого излома, мне больше всего хотелось бы прижаться к родному плечу и прошептать, глотая слезы: как же мне страшно!

Но не было у меня такого плеча. И уж муж мой Игорь точно не мог бы мне это плечо подставить.

Возможно, возникни он в тот момент передо мной, скажи какие-то важные слова, подкрепи мужским поступком, может, и отказалась бы я от подарков Эммы.

Но я знала, что ничего такого не случится и что ответом на мой уход и мое желание развестись будет какой-нибудь злобный, подлый поступок с его стороны.

В тот день ко мне приехала Галя, крупная полноватая женщина с добрым лицом, очень похожая на свою сестру Василису. К счастью, она согласилась быть няней, и я с легким сердцем доверила ей Мишеньку.

Господин Антипенко, адвокат, тоже показался мне весьма приятным и порядочным человеком. И теперь все переговоры о разводе с моим мужем (или с его представителем) будет вести он.

Не откладывая дело в долгий ящик, я спустилась в цех, познакомилась с работающими там женщинами и три дня работала вместе с ними, постигая все тонкости производства пельменей, после чего договорилась о встрече с бухгалтером, Тамарой Петровной, в кафе «Эмма».

Я пришла туда пораньше, чтобы успеть пообедать. И сразу же поняла, что день выбрала неудачный. Завтра похороны Эммы, и в кафе я увидела знакомые лица, при виде которых у меня закружилась голова — это были родители Эммы, Петр Васильевич Китаев и тетя Саша. Они были вдвоем, без своих супругов, одетые в черное и удивительно красивые. Они сидели за столиком, пили, судя по стаканам и цвету напитка, виски, курили. И это при том, что курить в кафе было запрещено.

Когда бы еще они вот так встретились? Да никогда. Смерть дочери оказалась единственной причиной, соединившей бывших супругов на эти несколько трагических дней.

Я подошла к ним, не уверенная, что они меня узнают. Первой подняла свою красивую голову тетя Саша.

— Валя? Валечка, это ты? — Она порывисто поднялась, бросилась ко мне и обняла. — Господи, как же давно мы не виделись! Садись, садись с нами... Сейчас Василиса принесет нам меню для поминального ужина. Боже мой, неужели все, что сейчас происходит с нами, — правда?!

— Валюша. — Петр Васильевич, поместив мою руку между своими большими теплыми ладонями, крепко сжал их. — Держись, дорогая. Мы все должны держаться. Выпьешь?

— Нет-нет, я не пью...

— Извините, дамы, я ненадолго отлучусь... — Петр Васильевич вышел из-за стола и направился к бару.

— Как твой малыш? Кажется, его зовут Миша? — спросила с нежностью в голосе тетя Саша.

— Спасибо, хорошо...

— Я знаю о том, что произошло в твоей семье, знаю, как тебе сейчас тяжело...

Я не верила своим ушам. Что же это, Катя ей все рассказала? Но зачем? Как глупо!

— Я тоже сначала не поверила, что это все правда. Но мы с Жекой и раньше разговаривали по телефону, по скайпу. У них любовь. Понимаешь, если бы я сама не пережила подобную историю, я бы ее не поняла... Но жизнь — такая непредсказуемая штука! Я тебе так скажу, моя дорогая. При всей своей экстравагантности, Жека обладает добрым сердцем, и она намерена выплатить весь кредит по ипотеке. Думаю, она уже это сделала, мы разговаривали с ней два дня тому назад, когда я только приехала... Пети еще не было, а я просто не знала, куда себя деть, ну и поехала к подружке, к моей Жеке...

— Жека? Она ваша подруга? — Я похолодела.

— Да... Ты, конечно же, не могла этого знать. Так вот, мы с ней выпили в тот вечер, просто напились, признаюсь тебе, и тогда она рассказала мне уже в подробностях о том, что случилось...

— Игорь и ваша Жека?.. — Я отказывалась верить.

— Да. — Она шумно вздохнула. — Да-да-да! Я не сразу поняла, что Игорь — твой муж. Если бы не Эмма, то я бы так и не узнала... Валя, дорогая, отпусти его, ради бога, пусть себе живет как хочет... Главное, ты останешься с квартирой, понимаешь? Прочь романтику, надо реально смотреть на вещи. Игорь переедет к Жеке, а ты будешь полноправной хозяйкой квартиры, да к тому же еще он будет тебе ежемесячно давать деньги на содержание Мишеньки. Так что все славно устраивается. Не жалей ты о нем! Не хотелось бы произносить банальности, но ты так молода, и у тебя еще все впереди!

Как легко об этом говорить, подумала я, когда у самой все устроено, и вся жизнь — сплошной праздник. Хотя кто знает, как живет сама тетя Саша со своим молодым пианистом. Если глубоко в душу его не впустила, то живет более-менее спокойно, а если впустила — то никто не знает, чем живет ее душа, чем тревожится сердце и спит ли она по ночам...

Надо же: мой муж и ее подруга Жека, которая, судя по всему, Игорю в матери годится. Значит, это и есть та самая «старуха», о котором мне писал аноним-«доброжелатель».

И тут меня словно током пробило: Эмма все знала, они говорили о нас с тетей Сашей! Почему не сказала? Не захотела вмешиваться, разрушать се-

Анна Данилова

мью? Какое заблуждение... Да лучше бы уж она мне сразу все рассказала, как правду об Игоре узнала, может, я и раньше бы развелась, и Эмма не оставила бы меня, протянула бы мне руку.

У столика возникла Василиса с подносом, на котором стояли тарелки с ароматным паприкашем. За ее спиной появился и Петр Васильевич.

— Запах просто божественный! — улыбнулся он одними губами, взгляд его при этом оставался прежним, как у больного, впавшего в отчаянье человека. — Вы составите нам компанию?

Он обратился ко мне, когда увидел на подносе три порции.

— Нет, спасибо, — вежливо отказалась я, поскольку после всего услышанного мне кусок бы в горло не полез.

Мне надо было побыть одной, чтобы все осмыслить.

Получалось, что в нашей семье был своеобразный заговор. Эмма с матерью знали об отношениях моего мужа с какой-то там престарелой Жекой, весьма богатой теткой, влюбленной по уши в моего Игоря, и все это время Эмма пыталась мне втолковать это, но не прямо, а намеками. А зачем, зачем, спрашивала я себя уже в который раз, разволновавшись, когда можно было рассказать мне всю правду?!

— Не переживай, все уладится. — Тетя Саша мягко похлопала меня по руке. — Поговори с мужем, скажи, что отпускаешь его, и увидишь, как сразу же все встанет на свои места.

Уже встало, хотела ответить я, но промолчала.

Однако из этого разговора выходило, что тетя Саша ничего не знала о том, какие шаги предприняла Эмма в отношении меня, как позаботилась. Интересно, что бы она сказала, если бы узнала, что я начинаю бракоразводный процесс и что сделаю все возможное, чтобы выполнить условие завещания?

Вероятно, порадовалась бы.

Еще меня удивило, что родители Эммы, хоть и были опечалены ее смертью, но держались так, как если бы хоронили не единственную дочь, а кого-то из дальних родственников, — спокойно, интеллигентно, что называется, «без надрыва». Без естественных для такого случая слез. Мне было неприятно смотреть, с каким аппетитом они поедали венгерский острый паприкаш, запивая его вином. Для них жизнь вот уж точно не остановилась, она продолжалась, и уже завтра, после похорон, после поминального обеда они разъедутся в разные стороны, к своим, ставшим близкими, людям, супругам, вернутся в ту привычную и комфортную жизнь, из которой их вырвала гибель Эммы.

И почему в такой трагический момент тетю Сашу беспокоила моя личная жизнь? Может, были еще свежи в памяти ее разговоры с укравшей у меня мужа Жекой и ей просто хотелось потрепаться на эту тему, выяснить, чем я дышу, какие у меня планы? Или же ей действительно хотелось сообщить мне довольно важную информацию о том, что Жека, возможно, погасила наш кредит по ипотеке?

Не знаю почему, но в тот день я была настроена против родителей Эммы. И во избежание продолжения душеспасительного разговора, затеянного тетей Сашей, я поспешила покинуть зал и пошла к Василисе в кабинет, чтобы там дождаться бухгалтера. К моему несчастью, выяснилось, что она задержится до самого вечера, что у нее возникли какие-то неотложные дела, она сама позвонила мне, извинилась, мы перенесли нашу встречу на послезавтра, поскольку на следующий день были назначены похороны Эммы, и я, распрощавшись с Василисой, через черный ход вышла на улицу.

У меня голова шла кругом после посещения кафе. Я вдруг поняла, почему мне было так нехорошо, неспокойно. Эмма. Я постоянно оглядывалась по сторонам в надежде увидеть ее или хотя бы услышать ее голос, но в воздухе словно носились прозрачные клочья траурных лент, подхваченные ветром нависшей над всеми беды, большого горя. Темп жизни в кафе замедлился, скорбные лица людей потускнели, улыбки были стерты, смех вообще умер.

Я заказала такси и, пока дожидалась, выкурила две сигареты.

Уже в машине, назвав свой новый адрес, я испытала стыд от того, что внутри меня жила тихая, но огромная радость от сознания того, что я теперь мало того что свободна, что оторвалась от своего мужа, так еще и богата. Пусть это не большое богатство, но у меня появилось свое, новое дело, приносящее реальный доход, своя квартира, а еще — няня Галя!

Я расплатилась с водителем, вышла из такси и вошла в подъезд. И тут же следом раздался грохот захлопываемой двери, быстрые шаги, и кто-то очень сильный схватил меня сзади за плечи и припечатал к стене. Я губами ощутила прохладу штукатурки.

И тут на меня посыпалась брань. Голос, от которого затрясло, обзывал меня самыми последними словами. Я хотела повернуть голову, чтобы посмотреть в глаза Игорю, но не могла пошевелиться.

— Пусти меня. — Я все же нашла в себе силы говорить. — Не заставляй меня обращаться в полицию. Я оставила тебе записку, в ней все сказано.

— Да я тебя сейчас убью прямо здесь, и ни одна сволочь об этом не узнает...

— Тебя посадят. Не думаю, что в тюрьме тебе будет лучше, чем в постели этой Жеки...

Он отпустил меня. Я медленно повернула голову, боясь, что он меня ударит.

Игорь. Он стоял совсем близко, лицо его раскраснелось, а вот нос был почему-то белый, и по щекам катился пот.

— Ты чего выдумала? Какой еще развод? Какая Жека?

— Дай мне пройти.

— Я хочу, чтобы ты мне все объяснила.

— Пусти. Я развожусь с тобой.

— Где ты взяла деньги на адвоката? Он уже был у меня! Да у него машина сто́ит, как чугунный мост!

Я достала из кармана телефон и собиралась было уже позвонить Юрию Петровичу, моему адвокату, как Игорь выхватил у меня телефон и швырнул на пол. Телефон со звонким стуком ударился о каменные ступени, запрыгал вниз, пока не замер.

— Ты что, мужика нашла? Кто здесь живет? К кому ты идешь? — засыпал он меня вопросами.

— А ты как меня нашел? — Мне было важно узнать, кто сообщил ему мой новый адрес.

— Да я проследил за тобой от кафе... Сначала хотел там с тобой поговорить, но заглянул, увидел родителей Эммы и не стал... Ждал тебя возле входа, но тебя долго не было, тогда я стал ходить кругами, подумал, что ты вряд ли пришла в кафе поесть, что ты наверняка у Василисы... Ну а потом услышал, как ты вызываешь такси... И поехал за тобой. Так что ты здесь делаешь?

Он разговаривал уже не так агрессивно, он как-то сник, растерялся и говорил быстро, нервничая, глотая слова. Его разбирало любопытство, где я взяла силы и деньги, чтобы уйти от него.

Я ничего ему не ответила, спустилась на несколько ступеней вниз, подобрала телефон, который, к счастью, не разбился, и снова предприняла попытку добраться до квартиры.

— Валя! Что с тобой? Какая муха тебя укусила? Я ничего не понимаю...

Мысленно я ответила ему на все вопросы, пересыпая их вполне весомыми обвинениями (нигде не работает, живет с другой женщиной, жене грубит), но вслух ничего не сказала. Я вдруг поняла, что только так и следует действовать с такими людьми, как он.

Еще вчера я была совершенно не защищена и чувствовала себя униженной, брошенной женщиной, которой, по сути, и податься-то некуда и которая вынуждена была довольствоваться подачками мужа, зарабатывавшего весьма сомнительным способом, а сейчас я чувствовала под ногами твердую почву. Пусть у меня нет мужчины, близкого человека, который мог бы защитить меня и моего ребенка, но я вдруг ощутила в полной мере, что при наличии денег множество проблем можно решить при помощи других людей, таких, к примеру, как Юрий Петрович или Галя.

Игорь схватил меня за рукав блузки, потянул к себе, у него при этом был совершенно потерянный взгляд, он искренне недоумевал, что же случилось в его жизни, как могло произойти такое, что жена отказывается повиноваться ему. Мало того что она сбежала, так еще и устроилась с ребенком в какой-то квартире.

— Я же люблю тебя, — вдруг сказал он и сам, видать, удивился, как это его язык выдал эту заезженную и потерявшую всякий смысл применительно к нашим отношениям фразу. Эту волшебную фразу, заставляющую биться сердца людей, на самом деле любящих и влюбленных.

— Люби. Кто тебе мешает...

Я сделала резкое движение, взлетела по ступенькам наверх и нажала на кнопку звонка. Судя по тому, что дверь открылась почти сразу, я поняла, что Галя все это время стояла за дверью и все слышала. Переживала за меня и была готова прийти на помощь.

Галя — новый человек в моей жизни...

Но Игорь поймал меня и стащил вниз.

— Я понял... Все сработало, да? — зашептал он мне на ухо, продолжая тянуть за собой вниз на первый этаж. Я посмотрела на Галю и успела махнуть ей рукой, мол, все нормально. Она скрылась за дверью.

— Что сработало? Я не понимаю...

— Это Эмма... Это она тебе оставила эту квартиру, да? — Рот его некрасиво растянулся в какой-то зловещей и страшной улыбке. У меня внутри все похолодело.

— Да, и что?

— Значит, я прав...

— Я не знаю, о чем ты, но я подала на развод, как ты понял, и не намерена отступать. Прошу тебя не преследовать меня с Мишей... Живи со своей Жекой...

— Ах, так ты не понимаешь? Не понимаешь? Наследство она получила! И благодаря кому?

— Послушай, я не понимаю...

— Я, значит, сделал всю грязную работу... там, в Панкратово... — зашипел он мне в ухо. — А ты.. ты по завещанию получила квартиру, и теперь я тебе, выходит, не нужен?

У меня по коже словно змеи заскользили. Страшная картинка убийства двух женщин кровавой пеленой заслонила все вокруг.

— Игорь... Что ты сейчас сказал? — Я тоже перешла на шепот, словно нас могли услышать. — Ты что, убил Эмму? И ту женщину, Зосю?

— Ты же никогда не любила ее, она раздражала тебя... Да ты ее ненавидела!

— Скажи, что ты все это выдумал. Что это неправда. Ведь это неправда?

— Ты — одна из наследников. Вот я и подумал, что когда ее не станет, ты получишь свою долю... — Он часто заморгал глазами и продолжил: — Если ты не вернешься ко мне, я сам пойду в полицию и во всем признаюсь. Но скажу, что это решение мы приняли вместе. Больше того, что ты — инициатор этого убийства. Что ты сама все придумала, спланировала, что это ты сообщила мне точную дату и время, когда Эмма отправится в Панкратово.

— Но я же... я же ничего тебе не сообщала! Я и не знала об этой поездке... Зачем ты врешь?!

— Да, не сообщала, но что мешает мне сказать об этом?!

— Подожди... Мне надо все осмыслить... Значит, это ты убил Эмму?

— Да, да, это я убил Эмму, зарезал и ту, что была в доме!

— И как же ты их убил?

— Как, как? Ножом!

— Ты был уверен, что я унаследую часть ее денег? Недвижимости?

— Ну да!

— Ты знал что-нибудь про завещание?

— Слушай, хватит меня допрашивать.

— И ты готов пойти в полицию и во всем признаться?

— Если ты не вернешься ко мне, то да.

— Но зачем я тебе?

— Ты — моя жена, Мишка — мой сын. Вы — моя семья.

— А как же Жека и все другие женщины, с которыми ты встречался, встречаешься? Тебе нужна служанка, которая готовила бы тебе, стирала. Чтобы ты, натрахавшись с этими бабами, пришел домой, на все готовое и чистое? Я не вернусь к тебе. И кому принадлежит эта квартира — не твое дело. Почему ты решил, что это наследство Эммы? Разве ты не знаешь, что принять наследство можно лишь спустя шесть месяцев после смерти наследодателя? — В сущности, я говорила правду, просто в моем случае все было иначе и мне не пришлось дожидаться, пока та квартира будет моей. Катя отдала мне ключи, как только нашла время среди всей этой трагической круговерти. — Иди в полицию, признавайся, можешь придумать еще что-нибудь... Но я, повторяю, не вернусь к тебе.

Я развернулась и начала подниматься по ступеням.

Сердце мое колотилось. Я догадывалась, какие мысли одолевают Игоря. Если верить словам тети Саши и ипотечный кредит погашен (пусть и любовницей моего мужа, которая сделала это наверняка для того, чтобы облегчить ему уход из семьи и чтобы он в конечном итоге навсегда поселился у нее), то наша квартира теперь принадлежит нам двоим и при разводе будет делиться. Вот с этим он не мог смириться. Догадываясь, что я живу в квартире, которая досталась мне от Эммы, он не может смириться, что половина нашей с ним квартиры также принадлежит теперь мне.

— Подумай! — крикнул он мне в спину. — Я скажу, что это ты все придумала!

— Говори что хочешь... — бросила я ему через плечо.

Дверь открылась, Галя впустила меня, и, уже оказавшись в безопасности, я все еще держала руку в кармане, где продолжал работать диктофон.

Анна Данилова

Щелк. Стоп. Все, готово. Запись моего разговора с Игорем была теперь залогом моего спокойствия.

Игорь — убийца. Правда это или нет, не знаю. Но в полиции этой записью наверняка заинтересуются.

— Мишенька спит, у нас все в порядке... Вы борщ будете? — спросила меня Галя осторожно, предполагая, что мне, быть может, сейчас не до еды. — С пампушками.

— Конечно, буду! — улыбнулась я, готовая на самом деле разрыдаться. — И непременно с пампушками.

18. Катя

На свое место в пансионате «Солнечный дом», где я проработала почти десять лет, два из которых не без участия Эммы, я пригласила свою хорошую знакомую, бывшую заведующую детским садом, Юлю Сажину. Человек честный и неподкупный, она не сумела поладить с чиновниками из отдела образования и была уволена. Хороший организатор, грамотная, с широкой душой и открытым сердцем, Юля, на мой взгляд, была идеальной кандидатурой на эту должность.

Прощальный вечер со своими пансионерами я устроила довольно скромный, учитывая причину, по которой мне пришлось уйти. Я объяснила своим подопечным, что буду продолжать дело Эммы Китаевой, представила им Юлю и с тяжелым сердцем покинула родные стены.

Единственным человеком, который не присутствовал на вечере, был Сергей Иванович Качелин. Он попросил встретиться с ним в Сокольниках, в кафе «Веранда», в восемь часов вечера.

Понимая, что этот человек не мог вот так, без важной причины проигнорировать прощальный вечер и что ему наверняка есть что мне сказать, я отправилась на встречу.

Я нашла его сидящим за столиком, перед ним стоял фужер с вином и раскрытый ноутбук. Увидев меня, он встал:

— Катя, как я рад вас видеть!

Мы с ним обнялись. На нем был льняной серый костюм, на шее — модный шелковый шарф. Он казался мне помолодевшим и жизнерадостным.

— Вы извините, что я сорвал вас с вашего вечера, но у меня к вам действительно весьма важное дело! — начал он сразу, усаживая меня за столик и подзывая к себе официантку: — Бокал вина и фрукты!

— Сергей Иванович, я тоже рада вас видеть. Вы придете завтра на похороны Эммы?

— Вот об этом я тоже хотел с вами поговорить. Катя, я же все понимаю. Эмма погибла, и я так же, как и вы, тяжело переживаю ее уход. Но понимаю и то, что теперь на вас лежит груз ответственности за все те средства, которые мы с Родькой ей доверили. Мы говорили уже с вами на эту тему.

— Постойте... Вы хотите забрать ваши деньги обратно? — испугалась я, понимая, что извлечь большую сумму из огромного строительного механизма в Сухово, который был запущен, уже невозможно! — Но работа уже началась, архитекторы уже...

— Нет-нет, что вы! Как вы могли об этом подумать?! Это же была наша совместная идея, работа, проект, называйте как хотите. И я ужасно рад, что дело продвигается, и уверен, что у вас все получится! Безусловно, жаль, что нет Эммы, она была светлым человечком! Она была просто необыкновенная! Вы не думайте, мы с Родионом решили отдать ей все наши сбережения осознанно, что называется, в ясном уме и твердой памяти. Это не было каким-то порывом, проявлением легкомыслия с нашей стороны, и об этом мы тоже с вами говорили. Пусть наши деньги послужат доброму делу. Вы же прекрасно помните мою историю, как она закончилась, какое разочарование я пережил в связи с поступком своей единственной дочери. Я сейчас и о ней тоже скажу... Но сначала... Вот! Смотрите! — Он проворно развернул ноутбук экраном ко мне, и я увидела фотографию, похожую на афишу фильма. — Видите? «Планета Берг»! Это название вам ни о чем не говорит?

— Ну почему же... У Родиона Караваева была такая книга, роман, действие там происходит на планете «Берг», он назвал ее так в честь своей жены...

— Ну правильно! Может, вы знаете, что я в свое время написал по этой книге киносценарий, и мои друзья передали это одному американскому продюсеру, в результате чего мой сценарий был куплен. Вот отсюда, собственно говоря, и большие деньги, которые пошли на проект в Сухово. Честно признаюсь, я писал этот сценарий приблизительно один месяц, а деньги получил немалые. Другими словами, я решил, что эти деньги как бы шальные, что ли... Но я снова не об этом. Американцы сняли фильм, который так и называется «Планета Берг»! И он скоро выходит в прокат! Мне посоветовали найти хорошего агента, который представлял бы мои интересы там, в Америке, и я это сделал, опять же таки через наших с Родькой знакомых, в свое время эмигрировавших туда. Моего агента зовут Дэвид Лерман, мы два месяца тому назад заключили с ним договор, и теперь, я думаю, он и сам счастлив от того, что заполучил себе такого сценариста, как я! Я написал продолжение этой истории, оформил как сценарий и выслал ему. И мне снова заплатили деньги. Часть я поместил в один немецкий банк по совету близкого мне человека... А другую часть... Уф... Даже не знаю, как вам и сказать. Понимаете, моя дочь... Да, она предала меня, лишила жилья, оставила на улице и все такое. Просто она хотела начать свое дело, вложила деньги в одно предприятие и прогорела. Вернее, это ее муженек подсуетился. А может, и обманул ее. Лена, так зовут мою дочь, сейчас живет у своей подруги. И очень больна. Точнее, сломлена. Нет, ей не грозит никакая операция, нет... Она в депрессии. У нее нет дома, она развелась с мужем, ее кормит подруга... Собственно говоря, эта подруга мне и позвонила, мы с ней встретились, и она мне все рассказала. Она не просила у меня денег, ни в коем случае, да к тому же она ничего и не знала о моих киношных делах. Она просто попросила меня навестить Лену, которая очень раскаивается в том, что сделала.

— Вы решили купить ей квартиру?

— В точку! Да. Но встречаться с ней я не могу, не хочу, мне очень больно... Считайте, что я злопамятный человек. Думаю, мне просто нужно время, чтобы ее простить. Но я не хотел бы сейчас о ней, о нас... Мне нужна ваша помощь. Я дам вам адрес, а вы поезжайте к ним, подругу зовут Лидия Анохина. Я здесь и номер телефона записал. Думаю, что она больше всех нас заинтересована в том, чтобы у Лены все наладилось, чтобы у нее появилось свое жилье. Поручите этой Лидии подобрать квартиру для Лены, и, когда они найдут подходящий вариант, проверьте там все, чтобы не было никакого обмана, мошенничества, и когда убедитесь, что все в полном порядке, поезжайте с ними на сделку и заплатите. В руки ни Лене, ни Лиде денег не давайте. Я же не знаком с этой Лидой, не очень-то доверяю и своей дочери. Но я должен дать ей еще один шанс...

Это было настоящее дежавю. Ведь точно такие же слова я уже слышала раньше. От Эммы. Когда она поручала мне устроить дела ее двоюродной сестры Вали. «Я должна дать ей еще один шанс...»

— Быть может, она снова влипнет в историю и пустит на ветер квартиру... Я не знаю, но поскольку мне на голову обрушились все эти деньги, и я знаю, что получу еще немало, поскольку фильм обещает иметь большие сборы, и в договоре прописаны проценты. Ну, вы понимаете! Словом, я решил ей помочь. Вот так.

Понимаю, что у вас забот прибавилось, что вы теперь работаете и в кафе Эммы, и контролируете работу в Сухово, и тем не менее... Пусть эта моя просьба лишний раз убедит вас в том, насколько я вам доверяю.

И еще. Я никогда не буду вас контролировать, никогда. Живите себе спокойно, работайте. Я уверен, что у вас все получится. Не зря же вы были близкой подругой Эммы.

Я сидела, и слезы струились по моим щекам. Я думала о том, насколько же мне повезло в жизни с хорошими людьми. Такими, как Эмма, Родион Караваев и Сергей Качелин. Еще была Василиса, которую я очень любила, и Аня, и даже Валя, которую я никогда не брошу!

— Хорошо, я согласна. Я сделаю все так, как нужно. Привлеку к сделке моего адвоката, чтобы он все проконтролировал.

— Я рад, что вы согласились. Думаете, деньги у меня в сумке? — Качелин пихнул под столом дорожную сумку, которую я давно уже заметила и о которой действительно подумала в связи с деньгами. — Ха-ха-ха! Нет, денежки мои здесь!

Он ткнул пальцем в экран компьютера.

— Надеюсь, для вас не проблема сообщить мне ваши банковские реквизиты? У меня сохранились только Эммины.

— Если вы позволите воспользоваться вашим ноутбуком... У меня все есть в почте.

— Вперед!

Через несколько минут Качелин, не вставая из-за стола, со своей банковской страницы в Интернете перевел на мои счета три крупных перевода.

— Три, чтобы не вызвать подозрения... — хохотнул он совсем как мальчишка.

— Невероятно! — выдохнула я, все еще не в силах осмыслить и оценить степень доверия ко мне совершенно, по сути, незнакомого, чужого человека. — Ну а что с похоронами? Почему не придете? Не хотите увидеть Эмму...

— Нет-нет, что вы! Просто сегодня ночью я улетаю в Таллин. Дело в том, что в моей жизни произошли некоторые изменения... Может быть, помните, как в прошлом месяце у нас в санатории проводили вечер поэзии и приезжала одна женщина, поэтесса, ее зовут Кристиана.

— Постойте... Кристиана Шпренк! Как же мне ее не помнить, когда я сама лично договаривалась с ней о встрече! Наши мужчины еще подарили ей большой букет собственноручно выращенных роз! И что? — Губы мои расплылись в улыбке. — Сергей Иванович?! Вы и Кристиана?

— Да-да! Меня ждут в Таллине. Чтобы оттуда мы уже с Кристианой отправились в Норвегию, весь план путешествий расписан, билеты заказаны... Если я не появлюсь в Таллине, я потеряю ее... Она не из тех женщин, которые будут ждать или искать оправдания проступкам мужчин. Она просто отпра-

вится в Норвегию одна. А я влюблен в нее просто
по уши. Я летаю!

— Вы хотите сказать, что это путешествие будет
свадебным?

— Ну, нет, конечно. Так далеко мы еще не зага-
дывали, но жить на два дома планировали — здесь,
в Москве, и Таллине, где у нее свой дом, дети и
внуки.

Я вдруг почувствовала огромное облегчение после его слов о том, что он не собирается меня контролировать. Я на самом деле переживала, что не
смогу как надо отчитаться за потраченные деньги,
предоставлять вовремя необходимые документы.
Хотя все это у меня, безусловно, будет: справки, от-
четы, квитанции... Возможно, мне даже понадобится человек, который помогал бы мне контролировать дела в Сухово, а позже заниматься
приобретением необходимой мебели, текстиля.

Мысли мои помчались в Сухово, но были внезапно прерваны телефонным звонком. Азаров.

— Слушаю... — Я жестом извинилась перед Качелиным. — Да, Дмитрий Павлович.

Он спросил меня, где я нахожусь, и я объяснила.
Он сказал, что подъедет к Сокольникам через полчаса.

— Дмитрий Павлович? — Качелин поморщился
и даже передернул плечами. — Он и мне тоже звонил, я сказал ему, что сейчас очень занят, что пере-
звоню ему, но так и не перезвонил.

— Когда это было?

— Сегодня утром. Честно говоря, я не хочу с ним встречаться. Я понимаю его, он — следователь, и даже догадываюсь, о чем, вернее, о ком он собирается со мной говорить. Они же наверняка проверили счета Эммы, подумали, что ее смерть каким-то макаром может быть связана с нашими деньгами. Но, думаю, вы и сами ему можете все объяснить. Ну не расположен я встречаться с ним. Я просто улечу в Таллин, и на этом все.

— Я понимаю... Но он уже и так все знает. Просто им никак не удается найти мотив убийств. К тому же они никак не могут определить, кого именно хотели убить, а кто оказался просто свидетелем...

— Да, понятно. Я и не верю, что убийцу найдут. Но, на мой взгляд, приходили не по Эмминну душу. Эмма — святая. Другая бы на ее месте беспокоилась о себе, а она вот решила заняться благотворительностью. Видимо, ей тесно было в ее бизнесе, ей хотелось большего.

— Вообще-то она была еще и журналисткой, — напомнила я ему.

— Да-да, знаю. Она созванивалась с одним моим приятелем, переводчиком Ренатом Хазыровым. Ей нужно было перевести рукописи, она собиралась опубликовать какой-то материал.

— Она писала о театре, литературе... И неплохие статьи, кстати говоря, писала.

— Так вот. Хазыров сначала согласился, а потом заболел, лег в больницу, и они, думаю, так и не встретились. Хотя... Я, честно говоря, об этом больше ничего не знаю. Ладно, Катюша, мне пора. Надо еще заехать купить кое-что, собраться. У меня есть твой телефон, почта, мы с тобой свяжемся. Желаю тебе удачи во всем!

Качелин встал, обнял меня и быстро, как если бы к нему вернулась молодость, помчался в новую жизнь.

Я же осталась дожидаться Азарова. Попыталась представить себе его лицо, когда ему доложат, какие деньжищи поступили на мой счет только что. И что мне ему ответить? Расскажу правду, все как есть, решила я, подозвала официантку и попросила принести вишневого соку.

Дмитрий стремительно вошел в кафе, заметил меня и направился к моему столику. Вид у него был такой, словно он только что сделал несколько кругов вокруг парка. Лицо уставшее, глаза, как у больной собаки. Я подумала: как хорошо, что я не следователь. Вот так влипла бы в какое-нибудь гиблое дело, и что? Где и как искать убийцу? Тем более что все от тебя чего-то ждут, смотрят с надеждой, а ты — никак и ничего. Это вроде импотенции.

— Привет! — поприветствовал он меня, плюхаясь в плетеное кресло. — Как жизнь молодая?

— Да ничего, — попыталась я пококетничать с ним. — Живу вот, работаю...

— Вы-то живете, а вот ваша подруга, Эмма... Катя... — Он поставил локти на столешницу и утопил подбородок в ладони, уставился на меня: — Скажите, за что вы убили свою подругу?

Тут он вдруг словно что-то вспомнил, порылся в кармане и достал телефон, пощелкал кнопками и развернул его экраном ко мне:

— Узнаете?

Я увидела увеличенное изображение золотого лепестка.

— И что? Где вы его нашли? — удивилась, не успев обрадоваться, я. — Это же часть моей сережки!

— В Панкратово, Катя. В Панкратово. Вы — арестованы по обвинению в убийстве Эммы Китаевой.

19. Людмила Евсеева

Сегодня похороны Зоси Левандовской. Леша еще накануне сказал мне, что не поедет, что сердце у него разорвется, когда он увидит ее в гробу. И я его понимаю.

Вот почему я отправилась в деревню одна. Миша еще раньше уехал на работу, я же вывела из гаража, завела свою старенькую «Тойоту».

Конечно, я переживала за Алексея. Он человек чувствительный, ранимый, кто знает, чего вздумает... Вот поэтому я сначала заехала к нему домой, но его дома не оказалось. Уехал, значит. Даже калитка заперта снаружи. Я позвонила ему, чтобы спросить, где он и не передумал ли он поехать в Панкратово. Он не сразу взял трубку.

— Леша, ты уверен что не поедешь в Панкратово?

— Уверен, — ответил он мне каким-то приглушенным голосом. А еще мне показалось, что он тяжело дышит.

— Где ты? Может, мне заехать за тобой?

— Люся, я на огородах, картошку копаю. Какое-никакое — все ж занятие.

Вот как, значит, решил он себя отвлечь. Ну что ж, лучше так, чем, как некоторые мужики, пить по-черному.

— Ладно, Лешенька. Ты там держись. Я заеду за тобой ближе к вечеру.

Он буркнул мне что-то в ответ и отключил телефон.

Вся деревня собралась утром возле панкратовского клуба, откуда должны были выносить тело Левандовской. Решили, что хоронить из дома, в котором жила Зося, из леса будет неправильно, поскольку теперь это место ассоциируется у жителей со страшным, да к тому же еще и нераскрытым убийством.

Бабы, чувствуется, с самого утра в клубе, все прибрано, зал, в котором стоит гроб, заставлен вазами и банками с цветами, в основном полевыми, как любила покойница.

Анна Данилова

В воздухе ощущается напряжение, наэлектризованность, среди людей какое-то нездоровое оживление, нервозность и даже агрессивность. Если бы знали, кто убийца, если бы показали на кого-то пальцем, то, не разбираясь, правда это или нет, набросились бы и разорвали на куски — такое было у всех настроение.

Хорошо, что Леши здесь нет, подумала я, выходя, пробираясь сквозь толпу, из клуба на улицу и вдыхая свежий, влажный после ночного дождя воздух.

И только я так подумала, как замерла на пороге, и ноги мои подкосились. И практически все, кто стоял рядом со мной, как по команде повернули голову в сторону скульптуры, стоящей на развилке дорог. Из-за бетонных фигур мужчины и женщины, поднимавших к небу сноп пшеницы, показался невысокий человек, которого практически и не было видно из-за огромного венка из красных цветов. Человек шел медленно, видно было, что он устал, пот катился по его лицу, и вытереть он его не мог, поскольку держал еще портрет Зоси, даже не портрет, а с любовью сделанный и увеличенный чернобелый снимок, изображающий молодую, с распущенными волосами и сияющей улыбкой Зосю. Белая рубашка ее сбилась, оголив одно плечо, к груди Зося прижимала охапку полевых цветов. Да, это действительно был не столько портрет, сколько фрагмент тайной, скрытой от чужих глаз и, безусловно, счастливой жизни Зоси Левандовской.

— Матерь Божья! Леша! — воскликнула я, бросаясь к моему брату и вытирая ему мокрое лицо платком. — Семь километров прошел, родимый!!!

Толпа расступалась, позволяя Алексею пройти в клуб, чтобы он мог проститься со своей любимой.

На черной шелковой ленте, обвивающей красные, как оказалось, живые розы венка, золотом было написано: «Моей любимой жене Зосе и моему неродившемуся ребенку от мужа и отца».

20. Лиля Лялина

Луговское показалось мне вымершим селом. Словно все жители одновременно покинули свои дома, сады, огороды. И даже собаки не слышно.

Тишина накрыла Луговское.

Я редко бывала в сельской местности, и меня всегда пугала эта жизнь на природе. Мне казалось, что люди, которые живут среди лесов и лугов, открыты для преступников и нечистой силы. Знаю, что днем двери в деревнях не запираются. Вроде бы от кого? Все же свои. И вот кто-то из этих своих или чужих забрался в дом к Зосе и зарезал ее.

Я прочитала в Интернете о зверском убийстве Зоси и еще одой женщины, москвички Эммы Китаевой.

Анна Данилова

Там же я узнала фамилию следователя, занимавшегося расследованием этого дела, — Евсеев Михаил Евгеньевич.

Я подготовилась, написала заявление, в котором просила принять во внимание мои свидетельские показания, касающиеся, возможно, этого убийства (в чем я до последнего сомневалась, впрочем, как и во всем остальном, что происходило вокруг меня). И теперь это заявление лежало у меня в сумочке.

Оказалось, что Евсеев уехал в Панкратово, на похороны. И когда я спросила, кто умер, дежурный посмотрел на меня недоумевая, мол, как это я могу не знать, кого хоронят.

— Зосю? — спросила я тихо, так, на всякий случай, хотя, по моему мнению, прошло уже много времени и ее должны были давно похоронить.

— Ну да! Поезжайте, может, еще успеете: и на похороны, и Евгеньевича застать.

— А куда ехать-то? — спросила я, совершенно теряясь и уже начиная жалеть о том, что приехала. Вся моя решимость и желание отдать последнюю дань хорошему человеку улетучились. Осталась внутренняя дрожь, слабость и желание спрятаться куда-нибудь подальше, поглубже, чтобы дождаться, когда за мной приедет Захар.

— Если хотите, вас проводят, — сказал дежурный и окликнул проходящего мужчину, одетого в штатское — джинсы и рубашку. — Наш сотрудник тоже туда едет.

— Да. Очень хочу.

— Вы к Евсееву по важному, что ли, делу? — нахмурил тот брови, когда мы вышли на улицу.

— Важнее некуда, — тихо ответила я, меньше всего желая разговаривать с посторонним.

Я вернулась в машину, мой спутник расположился на заднем сиденье, и мы поехали в Панкратово.

Честно говоря, у меня, как говорит Захар, топографический маразм. Я путаю дороги, не запоминаю маршрут и вообще плохо ориентируюсь на местности. Но вот Панкратово я запомнила хорошо. И примерно представляла себе, куда ехать. Однако, не будучи ни в чем уверенной, в силу своего характера, до конца и ухватившись за предложение проводить меня, почувствовала себя гораздо спокойнее с моим штурманом.

— Зося... Это та самая знаменитая гадалка, врачевательница? — Я вдруг решила, что сама судьба послала мне этого человека в спутники и собеседники. Говорят, что ничего в нашей жизни случайного нет, что судьба посылает нам какие-то знаки, и мы должны увидеть их, понять, расшифровать применительно к себе. Вот и в этот раз я подумала, что перед тем, как поговорить с Евсеевым, было бы нелишним собрать информацию о ходе расследования убийства Зоси. А что, если убийцу уже нашли?

— Да-да, это она.

— Какое зверское убийство... Ее ведь зарезали?

— Ну да...

— А кто? Убийцу, я надеюсь, уже нашли?

— Нет, не нашли. Но обязательно найдут. А вы из Москвы?

— Да... — решила не продолжать дежурный и совершенно уже бесполезный разговор.

Мы въехали в Панкратово, где прямо на глазах все дома и деревья начали темнеть, наливаться пасмурной синевой: собирался дождь.

В центре деревни, возле небольшого кирпичного строения собрались люди, вероятно на похороны.

— Нам туда?

— Думаю, да. Судя по всему, все вернулись с кладбища, это наша столовая, там будут поминки. Поедемте, посмотрим, где Евсеев.

Мы остановились неподалеку от столовой, и, выйдя из машины, я почувствовала запах вареной капусты. Вдруг вспомнила поминки своей бабушки в деревне. Я тогда еще была девочкой, но до сих пор помню вкус холодной и сладкой кутьи и горячих жирных щей.

Головы местных женщин были повязаны черными платками, убраны черными лентами или шарфами. Лица их были заплаканными.

Деревенские женщины — особенные. И кажутся мне физически сильнее и выносливее. А может быть, даже и более твердые характером. Ну и грубоватые тоже. Иногда, когда я чувствую себя слабой, когда понимаю, что не в силах решить какую-то проблему или выбраться из трудной ситуации, мне думается, что виноваты во всем мои родители, которые воспитали меня таким вот неприспособленным к жизни человеком. Как говорит про меня Захар: ты, Лиля, оранжерейное растение. Вот посели меня здесь, в Панкратово, так я же пропаду! Я не смогу содержать дом в чистоте, не сумею вырастить ни один огурец на грядке, не смогу держать кур или уток. Я ничего не могу, ничего не умею. Просто никчемный человек! И это просто счастье, что я встретила в своей жизни Захара и что он любит меня, причем любит такую, какая я есть. И даже находит во мне какие-то таланты. Ну, к примеру, он считает, что я лучше всех пеку торт «Наполеон». Или что мне удаются дружеские шаржи (хотя я лично полагаю, что он просто поддерживает меня в моем увлеченье рисованием). Еще я умею быстро завязывать галстуки. Да если разобраться, кое-что я, конечно, могу и умею...

— Это вы меня искали?

Я подняла голову и увидела перед собой высокого, сурового вида мужчину в черном свитере и черных брюках. Коротко постриженные волосы с проседью, густые кустистые брови, темные глаза.

— Вы Евсеев?

— Да. Что у вас? — Думаю, он чуть было не произнес: давайте скорее, а то мне некогда!

— У меня информация по убийству Зоси, — сказала я, холодея от собственной смелости. А еще мне стало трудно дышать, и даже волна тошноты подкатила к горлу, словно в страхе перед ответственностью за то, что я собиралась сейчас сообщить.

— Хорошо. Пойдемте со мной.

Я, заперев машину (мой путник куда-то исчез, вероятно, затерялся в толпе), спотыкаясь на своих высоченных каблуках, поплелась на ослабевших ногах за Евсеевым. Смотрела вниз, на его брюки и думала о том, что он, вероятнее всего, женат, и его жена проглаживает стрелки на его брюках через мокрую марлю. Вот такие глупости.

Мы подошли к столовой, вошли внутрь.

Мимо нас проходили люди, кто — в зал, где клубился запрещенный по всей стране (Панкратово, видимо, исключение) сигаретный дым, кто — из зала, где проходили поминки, на свежий воздух. Стремительно проносились мимо женщины со стопками грязных тарелок в руках (я отмечала про себя, что мне не поднять и половину того, что они носили). Это могла бы быть и деревенская свадьба (по обилию тарелок и еды на столах, которую мне удалось разглядеть), если бы не скорбные лица «гостей».

Видать, любили здесь Зосю. И уважали.

Евсеев, хорошо ориентировавшийся в здании столовой, привел меня в небольшое помещение, служившее конторкой бухгалтера (письменный стол, полки с журналами и толстыми папками с документацией, старенький, встроенный в окно, громоздкий кондиционер, фикус в углу), усадил меня на стул, сам сел напротив.

— Вы кто? Ваша фамилия?

— Лиля Лялина, — ответила я, и у меня получилось нечто вроде «ля-ля-ля».

— У вас паспорт имеется?

— Да, конечно. — Я судорожным движением раскрыла свою сумочку и достала паспорт, зацепив случайно подаренный мне подругой и благополучно забытый мною «фраутест» — тест на беременность. Кровь прилила к лицу, я даже ощутила легкое покалывание на скулах, так мне стало неловко и стыдно. Будем надеяться, что Евсеев, в силу того, что он мужчина, не знает эти розовые коробочки «в лицо», подумала я, извлекая и приготовленный конверт с моими показаниями.

— Действительно «ля-ля-ля», — совсем не весело усмехнулся, разглядывая мой паспорт, Евсеев. — Это вас специально так назвали?

— Мне кажется, что я видела убийцу этой женщины, Зоси. Я написала обо всем вот тут. — Я положила конверт на стол. — Я понимаю, надо было сделать это раньше, но я все не решалась. Не была уверена, что... Как бы вам это объяснить... Ну, что все это происходит со мной, понимаете? К тому же я могу и ошибаться...

— Вы были знакомы с Левандовской?

— Это ее фамилия?

— Да.

— Была. Я приезжала к ней, мне надо было спросить у нее кое-что важное... Но это было несколько месяцев назад. Это я к тому, чтобы вы не подумали, будто это я ее убила. Нет...

В дверь постучали, и, не дожидаясь ответа, вошел молодой мужчина. Увидев Евсеева, улыбнулся (я заметила, что все вокруг если и улыбались, то одними лишь губами, словно губы растягивались по инерции, не поспевая за скорбными чувствами людей):

— Я поеду?

— Постой, Дима. У нас тут, кажется, свидетель нарисовался.

Я вздрогнула. А что, если сейчас окажется, что мои показания никому не интересны? А мужчин уже двое. И получится, что я их просто отвлекла от работы.

— Вот, гражданка Лялина, — представил он меня мужчине.

— Следователь Дмитрий Павлович Азаров. — Он, не дожидаясь приглашения, взял еще один стул и сел между мною и Евсеевым.

— Гражданка Лялина утверждает, что видела убийцу Зоси. Слушаем вас, Лилия Леонардовна.

И я начала рассказывать. Уставившись в окно, словно в экран, где можно было увидеть изображение описываемых мною событий. Мой рассказ занял, как я полагаю, всего несколько секунд. И важные были последние две, когда я произносила услышанное мною:

«В Панкратово идет дождь. Полька и русская улетели. Все идет по плану. А я остаюсь в Москве, буду работать».

— Вас видели? — спросил после долгой паузы Азаров. — В тот момент, когда это произносилось?

— Нет, я же сказала, что была...

— Понятно. А вы — видели лицо этого человека?

— Да, в щель... Я отреагировала на «Панкратово». Потому что сама была здесь, понимаете? И Зося ассоциировалась у меня с Польшей, я считала ее полькой.

— Когда вы поняли, что речь идет все-таки о ней?

— Мне подруга сказала, что ее убили. И тогда я подумала, что странная фраза, сказанная этим человеком по телефону, может иметь отношение к убийству. Потому что слово «улетели» в момент, когда мне стало известно о смерти Зоси, я могла уже толковать не улетели на самолете, а улетели... на небо. Понимаете? Тем более что Зосю убили не одну, а с другой женщиной...

Евсеев распечатал мой конверт, достал листок бумаги с набранным текстом и прочел. Затем передал Азарову.

— А вы могли бы описать этого человека?

— Конечно! Понимаю, вам нужен фоторобот... Я согласна. Но я могла бы и нарисовать... Хоть я и не художник... У вас есть бумага, карандаш или ручка?

Я быстро набросала портрет и замерла, затаила дыхание, боясь, что меня высмеют.

Но Азаров, едва увидев его, исторг стон и замотал головой:

— Невероятно!

Евсеев тоже несколько минут крутил листок в руках.

— Да уж... — покачал он головой. — Кто бы подумал.

— Вы могли бы оставаться в Москве и никуда не уезжать? Ваши показания весьма важны, — сказал Азаров.

Я пообещала им, что никуда не денусь, что готова выступить где угодно, даже в суде, что считаю это своим долгом и все такое.

А потом я, пламенея, спросила, где здесь находится туалет.

Мой мочевой пузырь просто лопался. Тянуло низ живота. Хотелось поскорее домой, принять ванну, надеть все чистое, сварить себе кофе и лечь, наконец, в постель. Зарыться головой под одеяло.

— Пойдемте, я вас провожу... Кстати говоря, вы могли бы здесь пообедать, поминки, сами видите... — сказал Азаров.

В туалете было грязно, холодно, сыро, воняло мочой и размокшими окурками, которыми был усыпан цементный пол.

Дверь тесной кабинки, которую я тщетно пыталась за собой прикрыть плотно, образовала щель, в которую просматривалось помещение, где находились умывальники и зеркало. Я знала, что могу спокойно находиться в туалете, поскольку я заперла за собой первую дверь. И вдруг в какой-то момент окно справа от умывальников распахнулось, и в помещение хлынул свежий, прохладный воздух. Темный силуэт на мгновение заслонил щель, и я с силой схватилась за ручку двери, боясь, что неизвестные ее потянут. Помнится, я даже воскликнула: «Занято!».

Я подумала, что это видение — плод моего воспаленного воображения. Нервы, нервы ни к черту!

А потом я совершенно явственно увидела появившийся на подоконнике букет ромашек. Словно кто-то невидимый с улицы распахнул окно и положил цветы.

Ромашки. Это Зося напомнила о себе. Как там, на Арбате...

Но тогда, на Арбате, ее появление напугало меня, да так сильно, что если бы не присутствие Вероники, я подумала бы, что схожу с ума, а здесь, в Панкратово, где призрак чувствовал себя как дома, он имел право прогуливаться по улицам, дворам и садам деревни и даже заглядывать в окна людей.

И я вспомнила свою встречу с Зосей, свои страхи и надежды, бившиеся в унисон с моим сердцем и приведшие меня в лес, в обиталище Зоси.

Она напоила меня чаем на травах, накормила лепешками и, пока я ела, расспрашивала меня о Захаре, обо всем, что ее интересовало и что, по моему мнению, могло бы ей помочь заглянуть в мое будущее.

— Ты родишь девочку, но это случится тогда... — Она с какой-то нежностью смотрела, как я пью чай, и улыбалась при этом, словно видя то, что другим было видеть не дано. — Когда на тебя снизойдет сознание того, что ты в этом мире не одна. Когда в твоем сердце поселится любовь к людям, понимаешь?

Я восприняла это тогда как набор слов, поскольку любовь к людям — понятие абстрактное и сложное. Не могу вспомнить, чтобы я в своей жизни желала кому-то зла, я не такой человек. Я люблю своих близких, жить не могу без Захара, помогаю соседке по подъезду, даю ей денег в долг, другой соседке, матери троих деток, незаметно опускаю в почтовый ящик по сто долларов каждый месяц. Конечно, это крохи, но многие-то и этого не делают.

...Мне показалось, что я нахожусь в туалете целую вечность, хотя на самом деле прошла, может, минута. Видимо, я перетерпела, и у меня ничего не получалось, мои физиологические процессы были словно заблокированы.

Передо мной на гвозде, вбитом в дверь, висела моя сумочка. Я открыла ее, чтобы взять салфетку, и снова увидела розовую коробочку. Перевела взгляд на кажущийся нереальным в сумерках букет ромашек на подоконнике, усмехнулась своим странным мыслям о пророчестве Зоси и даже посмеялась над собой: неужели? Хотя почему бы и нет?

Взяла полосочку фраутеста в руку и почувствовала, что готова проверить его...

Через несколько минут я стояла уже возле того самого окна, которое пригрезилось мне открытым, пока я находилась в душной кабинке, и пыталась в свете пасмурного дня разглядеть результат.

Букета ромашек на подоконнике не было и в помине. Как не было никого, чей силуэт мне привиделся в помещении с умывальниками.

Игра светотени, мои растревоженные нервы, чрезмерная впечатлительность, усталость, наконец, сыграли со мной шутку.

Да. Ничего этого не было, кроме полоски фраутеста с положительным результатом.

Я даже дышать старалась тихо и ровно, чтобы не спугнуть обрушившееся на меня счастье.

Беременна? Значит ли это, что Зося заглянула сюда ко мне, в это дурно пахнущее место, чтобы напомнить о нашей с ней встрече, о том, что не следует терять надежду, и это она, прекрасная Зося, вернее, ее неспокойная и заботливая прозрачная сущность, едва касаясь пола, приблизилась к окну, чтобы распахнуть его и впустить в мою жизнь свежего воздуха и осыпать меня ромашками?

Я выскочила из туалета, давясь от запахов и тошноты, выбежала на свежий воздух, где меня встретил Азаров.

— Вы в порядке? — спросил он меня, поддерживая под локоть.

— Да, все нормально, — сказала я. — Надеюсь, что я вам помогла...

— Безусловно! Главное — никуда не уезжайте, хорошо?

Он как-то слишком уж бережно поддерживал меня, словно и ему стала известна моя большая женская тайна. На самом деле я была ценна для него, для них с Евсеевым просто как свидетель.

И тут я вспомнила, что забыла отдать ему еще кое-что.

— Боже мой, я совсем забыла! У меня для вас есть еще кое-что!

И я достала из сумочки изрядно смятую записку, которую написала, готовясь к визиту.

— Вот, пусть это будет у вас. Хотя я и училась на переводчика, но давно уже не практикую, не даю уроки, и вполне возможно, что мой перевод оказался неточным. А в вашем деле важна каждая деталь, ведь так?

— Не понял... О чем вы?

— Вот посмотрите, отдайте вашим людям, профессионалам... А вдруг окажется, что все то, что я вам тут рассказывала, вообще не имеет никакого отношения к вашему делу?

Азаров развернул записку, пробежал по ней взглядом и поднял на меня глаза:

— Я не совсем понял. Что это?

— Как что? Та самая фраза, которую я и услышала... Ну, что полька и русская улетели...

— Все равно — не понял. Разве это было сказано не на русском?

— А я не сказала? Вот дурища!!! Нет! На немецком!

21. Борис Болотов

Пожалуй, это был самый тяжелый день в моей жизни.

Похороны Эммы.

Родные, близкие родственники и друзья моей возлюбленной собрались все вместе, чтобы проводить ее в последний путь и посмотреть в глаза друг другу с одним и тем же вопросом, который мучил всех: кто и за что убил Эмму?

У Кати совершенно идиотская фамилия, и я не понимаю, почему она ее не сменила. Катя Мертвая.

Да она — живее всех живых. Энергия фонтанирует в ней, и я убедился в этом, когда начал работать вместе с ней над проектом усадьбы в Сухово. Теперь же все то, чем занималась Эмма, легло на хрупкие Катины плечи.

Но то, как она устроила похороны, заслуживает высшей похвалы. Все было торжественно и очень хорошо организовано.

Глядя на ее фигурку, мелькавшую среди толпы людей, одетых в темное, я подумал о том, что, быть может, именно работа, великое множество дел, которыми она себя загрузила, и не позволили ей впасть в депрессию.

Я сразу узнал родителей Эммы, очень красивая пара. Со слов Эммы, они давно разошлись и жили порознь, где-то за границей.

Громче всех выражала свои чувства одна из подруг Эммы, Аня, приехавшая в Москву из Венгрии. Полагаю, она рыдала так оттого, что считала и себя виновной в том, что Эмма оказалась в Панкратово. Ее утешала и держала под руку венгерка Нора, подруга Ани. По словам Кати, Нора тоже весьма тяжело переживала смерть Эммы, хотя и была-то знакома с ней недолго: ведь это ради нее Эмма отправилась к Зосе договариваться о том, чтобы она ее приняла по приезде в Москву. К тому же, как выяснилось, пока Нора была здесь, в Москве, и пыталась, как могла, помочь следствию, в частности, дала деньги следователям (не взятку, а на расходы, как объяснила мне Катя), ее друг там, в Венгрии, женился на другой женщине. И еще одна проблема свалилась на голову несчастной одинокой женщины: ее престарелый дед, о котором она заботилась, подхватил какую-то инфекцию, и сиделка, узнав об этом, ушла.

Я и сам не понимал, почему думал обо всех этих людях, об их проблемах, словно мой рассудок отказывался воспринимать все, что было связано непосредственно со смертью моей дорогой Эммы.

В кафе на поминальном обеде многие говорили об Эмме, вспоминали ее добрые дела, рассказывали о том, какой заботливой и участливой она была. Неравнодушной к чужой боли. Люди искренне делились всеми теми историями, которые они пережили вместе с Эммой.

И я, совершенно чужой в этой компании человек, готов был тоже разрыдаться... Я всех жалел и любил в тот вечер.

Даже следователя Дмитрия Азарова, который чувствовал себя на похоронах явно лишним и наверняка ловил на себе взгляды тех людей, доверие которых не оправдал: ведь убийца Эммы так и не был найден.

Мы курили с ним на улице на заднем дворе кафе, когда я осмелился обратиться к нему с просьбой:

— Послушайте, мне надо в Панкратово, — сказал я. — У меня в машине лежат цветы. Я хотел бы положить их там, в лесу, на пороге дома, в котором ее убили. Я должен, понимаете, должен увидеть то место, где она погибла.

— Еще скажите, что собираетесь поискать там улики... — мрачно отозвался Азаров и затянулся сигаретой. — Я угадал?

— Да. И что здесь такого? А вдруг мне повезет?

— Думаю, вы не в курсе, что подозреваемый находится под домашним арестом?

— Не понял... Какой еще подозреваемый? Мне об этом ничего не известно.

— Не так давно одна из подруг Китаевой, так же, как и вы, попросила меня отвезти ее на место происшествия. Мы с ней поехали. И она нашла улику! Да-да, не смотрите на меня так... Настоящую улику, указывающую на человека, которого я меньше всего подозревал. Я совершенно случайно заметил, как она подобрала ее с пола и сунула в карман.

— Что, что подобрала? И кто? — Я, помнится, даже схватил его за руку.

— Говорю же — улику. Так вот. Мы уже поехали обратно, домой, и я все ждал, что вот сейчас мне эту самую улику покажут, понимаете? Покажут и отдадут, но не тут-то было. Человек, с которым я ездил в Зосин дом, так мне ничего и не рассказал. И не показал, чем окончательно меня запутал.

— Дмитрий Павлович... Не томите. Кого вы подозреваете? Кто арестован?

— Катя Мертвая.

— Что? — Я даже отшатнулся от него, подумав, что он шутит. — Это у вас профессиональное?

— Что именно?

— Черствость, цинизм, жестокость, черный юмор... Я вот лично не вижу повода для шуток.

— А я и не шучу. Нора Кобленц, наша гостья из Венгрии, уговорила меня отправиться вместе с ней в Панкратово. Все твердила, что хочет сама поискать улики. Что чувствует себя обязанной сделать хоть что-то для Эммы, что это из-за нее Эмма погибла, ну и все такое...

— И что? Вы согласились?

— Ладно, Борис, садитесь в мою машину, поедем в Панкратово. А по дороге я вам все расскажу. Не для того, конечно, едем, чтобы вы там что-то искали, а чтобы вы положили цветы... еще я просто по-человечески вас понимаю — вам страшновато ведь ехать туда одному, я прав?

— Да... Стыдно признаваться, но это так.

В машине мы продолжили говорить о Кате.

— Обломок сережки... — возмущался я, когда он рассказал мне о найденной улике. — И сережка Кати оказалась сломана, там не хватало лепестка, так? Удивительно!

— Получается, что она, Катя, там была, понимаешь? — Азаров незаметно перешел на «ты».

— Но ты сам-то веришь, что она могла убить свою лучшую подругу? Да еще таким зверским способом? Да Катя — прекрасный человек!

— Согласен. Мне она тоже нравится. Но ведь именно Катя в результате стала единственной наследницей Эммы. На ее счетах огромные суммы денег!

— Да я в курсе... Значит, она убила ради денег? Тогда почему же она не остановила строительство усадьбы? Зачем она продолжает переводить деньги, ведь стройка идет полным ходом!

— Да я все знаю... Больше того, вчера, когда я предъявил ей обвинение, неофициальное, я ее, конечно же, не арестовывал... Так вот, незадолго до нашей с ней встречи она виделась с Сергеем Качелиным...

— Знаю! Я, кстати говоря, о нем недавно читал в Интернете, на одном из киношных сайтов... По его сценарию американцы сняли фильм!

— Так вот, буквально за час до нашей встречи с Катей, Качелин в том же кафе, сидя за столиком, перевел ей восемьсот тысяч евро!

Я был ошеломлен, потрясен услышанным. Потом взял себя в руки:

— Тогда тем более она ни в чем не виновата! Ведь Эммы-то уже нет, а он перевел ей деньги. По своей воле! Вероятно, вдогонку к тем деньгам, которые пожертвовал на строительство санатория в Сухово?

— На этот раз — нет. Он попросил Катю помочь купить квартиру для дочери. Там совсем отдельная история. Ты понимаешь, все завязано на Кате! Все! Я узнал, тоже от Кати, она рассказала мне вчера, что она по поручению Эммы помогает ее двоюродной сестре Валентине... На Катю свалилось поистине огромное количество дел и обязательств, все то, чем прежде занималась Эмма. Как ты думаешь, могла она сбежать, прихватив деньги, если бы убила Эмму из корыстных побуждений?

— А я о чем?! Конечно, могла! Но она не сделала этого.

— И я так думаю, поэтому и не арестовал ее. И не задержал. Я замучил ее вчера вопросом: когда и где она потеряла свою сережку? Но она не знает. А я сам лично видел, как Нора выпутывает эту маленькую золотую штучку из бахромы половика. Видел в окно, я стоял снаружи и курил. Видел, как она сунула ее в карман.

— А ты с ней, с Норой, почему еще не говорил?

— Завтра утром мы договорились встретиться с ней в кафе Эммы. Но я уверен, что она не выдаст Катю. Возможно, она, так же, как и мы с тобой сейчас, решила для себя, что Катя не может быть виновна в смерти подруги, поэтому ни за что никогда не покажет мне эту улику. Ведь если бы она допустила причастность Кати в этом преступлении, то она выбежала бы из дома Зоси с криком: «Азаров, я нашла улику!»

— Ну и работка у тебя... Не представляю себе, как ты будешь искать убийцу.

— Я все равно найду. Обязательно. Нам бы еще с Евсеевым понять, кого планировали убить: Эмму или Зосю.

Мы приехали в лес затемно. Зашли в дом, включили свет.

— Вот здесь, в этой маленькой комнате ее нашли. Она была раздета, легла спать... — рассказывал мне Азаров, не выпуская изо рта сигарету.

— Вот это мне тоже не ясно. Как Эмма могла заночевать тут, если она должна была встречать Нору в аэропорту? Она что, раздумала?

— Может, заболела? Я об этом тоже думал. Но, зная уже сейчас многое об Эмме, могу с уверенностью сказать, что по своей воле она никогда бы не осталась в этом доме, зная, что ее ждут в аэропорту. Не такой она человек.

Я с ним полностью согласился.

Мы с Азаровым еще раз осмотрели дом, все внимательно обследовали и собирались уже возвращаться обратно, в Москву, когда я случайно, безо всякой надежды, приоткрыл дверцу печки. Сунул руку в темноту, сажу и холод, нащупал что-то, достал. Рука моя была черная от сажи.

Азаров, наблюдавший за мной, присел рядом на корточки.

— Не бойся, я не собираюсь прятать улику, — грустно пошутил я, развернул смятый в плотный шарик листок бумаги, и мы увидели написанное крупными печатными буквами: «СГИНЬ ВЕДМА».

Азаров даже присвистнул.

— Вот каждый день это дело закручивается все затейливее и затейливее, словно кто-то играет с нами, — сказал он, доставая платок и обматывая им руку, чтобы взять записку. — Значит, были все-таки у Зоси враги?

— Да уж...

— А ты молодец, Борис! Постой-ка! Мне надо позвонить.

По разговору я понял, что он звонит эксперту, который осматривал дом Зоси, чтобы спросить его, заглядывал ли тот в печку.

— Ясно, спасибо. Я так и думал. Потом расскажу...

И, обращаясь ко мне:

— Говорит, что в печке ничего не было. А заглянул он туда знаешь зачем? В доме было очень тепло, понимаешь?

— Нет пока...

— Август. Ночью прохладно, но не настолько, чтобы топить печку. Но в доме было душно, понимаешь! Жарко.

— Так в каждой комнате стоит по масляному обогревателю! Разве вы не видели?

— А я про что!

— Значит, хозяйка решила включить обогреватели, чтобы Эмма не замерзла, — высказал я свое предположение. И развил свою мысль: — Возможно, она простыла, приболела, у нее поднялась температура, вот поэтому-то и не поехала встречать Нору. И не позвонила ей, может, уснула...

— Но вскрытие показало, что она была совершенно здорова.

— Хорошо... А может, Нора прилетела другим рейсом, о чем успела предупредить Эмму?

— Мы проверяли. Она прилетела в три часа дня, вернее, в половине третьего, полчаса у нее ушло на то, чтобы получить багаж. И потом она долго ждала Эмму, постоянно звонила ей... Есть показания свидетелей, которые подтвердили, что видели ее в аэропорту. Я даже запомнил фамилию этой свидетельницы — Шапошникова Лариса. У нее были куплены билеты в Рим, она собиралась лететь туда с маленькой дочкой. Мы проверили, она действительно улетела в Рим... Это я к тому, что мы все проверяли тщательнейшим образом! Эта Шапошникова разговорилась с Норой, рассказала, как поссорилась с мужем, что он изменил ей... Нора тоже рассказала, что у нее сложности с ее другом, что она прилетела в Москву немного развеяться, заодно навестить одну гадалку в деревне... Нора, кстати говоря, расплескала кофе, который купила в автомате, на джинсы Шапошниковой и потом долго извинялась.

— Значит, алиби стопроцентное. Постой, так что же случилось с Эммой? Почему она не поехала встречать Нору?

— Да потому... — медленно, растягивая слова, произнес Азаров, — что она уже была мертва. Но это лишь мое предположение.

— Как это? Разве их убили не ночью?

— Невозможно точно определить время смерти. Особенно если преступник умный и включает обогревательные приборы по всему дому, чтобы трупы подольше оставались теплыми.

Я выбежал из дома. Меня вырвало.

Возле дома был кран с водой, где я привел себя в порядок. Достал платок и промокнул лицо.

Азаров вышел из дома, протянул мне фляжку:

— Виски. Выпьешь?

Я сделал несколько глотков. Потом принес из машины большой букет роз и положил на скамейку, у стены дома. Там уже лежали полевые цветы, несколько букетиков из васильков, ромашек, принесенные сюда, вероятно, жителями деревни.

— А Зосю похоронили?

— Да, сегодня, — задумчиво проговорил Азаров. — Я уже был здесь, узнал много интересного... Оказывается, Зося была беременна от жителя села Луговское. У них была любовь, которую они скрывали от людей. Но собирались пожениться, по словам его сестры... Ты не представляешь, как больно было видеть этого Алексея... Сердце разрывалось. И это у меня, у мужика... Алексей потерял Зосю, ты — Эмму... Словом, грустно все это, Борис! Поехали?

В машине ехали молча, а когда уже подъезжали к Москве, он вдруг спросил, совершенно не по теме:

— Ты не знаешь, можно ли заказать экскурсию по ночной Москве?

22. Азаров

Переводчика Хазырова я нашел в Переделкино, на его даче. По телефону я представился начинающим романистом, сказал, что хочу издаваться за рубежом и что ищу переводчиков для перевода моего романа на английский, немецкий и французский языки. И что друзья порекомендовали мне его как переводчика с немецкого.

День был солнечный, словно природа успокоилась немного, высушила свои слезы по погибшим молодым женщинам, на похоронах которых мне пришлось побывать в один и тот же день.

Дача Рената Бикбулатовича Хазырова находилась в хвойном лесу, и запах от прелой земли и сгнившей хвои поднимался горьковатый, терпкий.

Суховатый, с седым ежиком волос на голове, Хазыров встретил меня возле ворот, кивнул мне головой и жестом предложил войти.

Дача была двухэтажная, деревянная, старинной постройки, но довольно крепкая, с большой застекленной верандой.

— Чаю хотите? — спросил меня Хазыров, даже не оборачиваясь.

— Чаю? Да не хотелось бы вас беспокоить...

— Или, может, водки сразу?

— Не понял...

— Садитесь. — Он сел за круглый, покрытый гобеленовой зеленой скатертью стол.

Веранда пылала ярким оранжевым светом от льющихся в нее солнечных лучей. В дальнем конце ее, на полу, были рассыпаны красные яблоки.

— Да-да, — перехватил он мой взгляд. — У нас и яблоньки имеются там, за домом. Это моя мать еще сажала, очень давно... Мы за ними не ухаживаем, но они все равно упорно дают плоды, за что мы им весьма благодарны. Так что, водочки? Перцовки? Ну что вы так на меня смотрите, молодой человек?

Он наконец-то посмотрел мне в глаза. И взгляд у него был твердый, даже жесткий. Серые маленькие холодные глаза вонзились в мои.

— А я предупреждал ее, понимаете? Я, старый ишак, должен был убедить ее оставить это дело. Но она не поняла масштаба этого явления, этого открытия, которое она сделала. Вот ведь случай!!! И надо было ей туда отправиться и попробовать это жаркое! Что это — судьба?

Я слушал его и ничего не понимал.

— А я и вам скажу, молодой человек, оставьте все как есть. Ведь за ними до сих пор стоят люди. Их мало, и они сделаны из гнилого материала, но они есть и помогают друг другу. Их учение, их религия, если можно так выразиться, уже искажена, деформирована, извращена... Дмитрий Павлович, не надо играть в прятки. Я думаю, что у вас не так много времени, что сроки поджимают, начальство давит, ведь так? Никакой вы не писатель, вы — Азаров, следователь, который ведет дело об убийстве Эммочки. Мне звонил Качелин, он предупредил меня о вашем возможном приходе, поскольку он разговаривал с Катей. Его счастье, что он вообще не в курсе того, что произошло, и что за перевод мне предложили. Он просто познакомил нас с Эммой, и все! Нам не сразу удалось с ней встретиться, потому что я заболел. Но поскольку я трудоголик и к тому времени у меня не было работы, а деньги мне не помешали бы, я перезвонил Эммочке, и мы с ней договорились о встрече.

Она была чудо как хороша! Очень живая, жизне-радостная, эмоциональная, яркая... У нее глаза так блестели, когда она рассказала мне, откуда у нее эта папка, эти документы. Еще она объяснила мне, что обратилась за помощью именно ко мне, полагаясь исключительно на рекомендацию Сережи Качелина, моего друга. Она взяла с меня слово хранить молчание, и я молчал. До сегодняшнего дня. Быть может, я молчал бы и дальше, чтобы эта истории не полоснула ножом и тех, кто возьмется за это дело... К примеру, вас. Да, я понимаю... Вы думаете, что старик спятил. Нет, это все правда. Чудовищная правда.

Знаете, когда я взял в руки эту папку, меня затошнило. Физически я почувствовал себя очень плохо. Как это объяснить? Энергетика, понимаете? От этих пожелтевших страниц исходили волны самой смерти...

... Я вернулся в Москву только утром следующего дня. Ренат Бикбулатович постелил мне в гостиной на диване. Но перед этим мы с ним долго не могли заснуть. Много говорили. Выпили почти две бутылки водки, он угостил меня треугольными пирожками с мясом, приготовленными и привезенными на дачу его внучкой Русланой. Жена Хазырова отдыхала в Лазаревском, и о нем заботилось семейство сына.

Я до сих пор помню вкус этих татарских пирожков. И голос Хазырова узнаю из тысячи голосов. И дачу его в Переделкино найду с завязанными глазами.

— Вы не представляете себе, как помогли мне, — сказал я ему, когда мы прощались.

— Надо все сделать правильно, умно, понимаешь? И начни с Рима. Тебе надо найти эту женщину... Ну, мы с тобой уже обо всем поговорили.

Я должен был действовать официально, подписать необходимые запросы, документы, заручиться поддержкой московских коллег и подготовить сведения для передачи в Интерпол. Но на все это у меня ушла бы неделя, не меньше! Во-первых, мне надо было бы убедить свое руководство в правильности моих предположений, обосновать каждый пункт обвинения, представить доказательства и назвать имя главного свидетеля обвинения. Во-вторых, время, которое понадобилось бы при подготовке аргументов для обвинения, работало бы против нас, и мы могли бы упустить преступника.

Вот почему я решил действовать самостоятельно, на свой страх и риск, привлекая к делу своих проверенных и надежных коллег по работе, специалистов-компьютерщиков и просто друзей.

Я заперся в своем кабинете, где сосредоточенно, в тишине и покое, составил план действий. Под каждым пунктом у меня значился человек, который мог бы помочь мне в получении информации. Это были самые разные люди, даже знакомые знакомых и дальние родственники.

Тем людям, с кем работал постоянно и которые понимали меня с полуслова, я звонил, обращаясь за

Анна Данилова

помощью. С другими встречался на нейтральной территории, чтобы обговорить условия.

Я обналичил практически все свои деньги, чтобы расплатиться с моими многочисленными помощниками за работу.

Мне важно было собрать достаточное количество информации, чтобы было чем подкрепить свое обвинение и, что не менее важно, чтобы после всего того, что я намерен был предпринять, меня самого не посадили за решетку за нарушение всех мыслимых и немыслимых правил и законов.

Был в моем плане один весьма важный пункт, который требовал моего визита к Кате Мертвой. И я отправился, предварительно договорившись с ней о встрече в кафе.

Войдя, я занял столик, дождался, когда ко мне подойдет знакомая уже официантка Надя, и заказал кофе с молоком.

Через пару минут в зале появилась Катя. На ней были темно-синие шелковые шаровары и нежно-голубая туника. Волосы забраны белым широким ободком. Долой траур! Такая свежая, с блестящими глазами и румяными щеками, словно только что умылась родниковой водой. Увидев меня, она улыбнулась. Подошла и села напротив меня.

— У меня есть новости, — сказал я. — Я знаю, что Аня с Норой сегодня улетают в Будапешт. Но сведения, которые я раздобыл и которые помогли мне пролить свет на убийство Эммы, настолько важны, что мне хотелось бы с вами поделиться...

Катя, откинувшись на спинку стула, смотрела на меня удивленными глазами. Понятное дело, она, потеряв всякую надежду на то, что преступник будет найден, меньше всего ожидала услышать от меня нечто подобное. Думаю, что они с подружками уже махнули на нас с Евсеевым рукой, мол, не найдете вы убийцу.

— Дмитрий, вы хотите сказать, что нашли убийцу Эммы? И кто же он? — Я уловил в ее голосе иронию.

— Понимаете, Нора дала нам деньги, довольно крупную сумму, и мы хотели бы отчитаться... Но самое важное, конечно, это представить убийцу. И мы хотим сделать это до того, как дело предадут огласке...

— У них самолет вечером, в половине седьмого, но им нужно там быть, как вы знаете, часа в четыре.

— А где они сейчас?

— Отправились за покупками, подарками... Но настроение у них, сами понимаете... Не до магазинов. Нора дозвонилась до знакомых, которые присматривали за дедом до ее возвращения. Сиделка ведь сбежала... Испугалась инфекции.

— Что за инфекция? Может, она опасна, и тогда могут заразиться ее друзья... Может, ей связаться с доктором, и тогда деда определят в больницу, в инфекционное отделение, а она задержится здесь буквально на день-два?

— Да-да, и этот вариант тоже рассматривался. Я поняла... Вы хотите, чтобы они отложили свой отъезд?

— Думаю, если вы скажете им, что убийца Эммы найден, они останутся... Разве им не захочется все узнать?

— Дмитрий, вы меня просто заинтриговали... Кто убил Эмму? За что?

— Скажу только, что корни этого преступления лежат в Панкратово, вернее, в Луговском... Вот я и хотел забрать вас троих и отвезти в Луговское, к Евсееву. Тем более что вы уже там были, Людмила будет вам рада. Посидим, выпьем, расслабимся...

— Неужели все кончено? Просто не верится... Хорошо, я им позвоню, пока не поздно...

Катя вышла с телефоном из зала, чтобы в спокойной обстановке поговорить с подругами, а я допил кофе и позвонил Евсееву.

— Пока все идет по плану... У тебя все готово? — спросил я, прикрывая ладонью трубку. Современные телефоны, передавая голос собеседника, имеют свойство звучать, как громкоговорящее радио! — Надеюсь, что все получится. Раньше все равно бы не смогли, ты же понимаешь... Водку я куплю, гуляш этот венгерский попрошу Катю, чтобы положили в контейнер или кастрюлю, так что пусть Людмила твоя не суетится, закуска будет. Может, хлеб купить или еще чего? Евгеньич, ты точно со мной? Еще не поздно отказаться...

Но я в нем не ошибся! Он сказал, что готов принять нас. Хотя по его голосу нетрудно было догадаться, что он тоже сильно нервничает.

Катя вернулась даже раньше, чем я предполагал.

— Они согласны! — сказала она. — Они и билеты сдавать не будут, чтобы время не тратить, они уже едут сюда...

— Что ты им сказала?

— Что убийца из Панкратово. И что нам представится уникальная возможность увидеть его раньше, чем он будет арестован... Я правильно поняла?

— Абсолютно правильно.

— Ведь это тот... ну, любовник Зоси, да? Вы же тогда с Евсеевыми сами рассказывали, в Луговском, когда мы сидели за столом, будто бы Зося была беременна от кого-то из местных... Аня сразу догадалась, что это он, когда я сказала, что убийца из Панкратово. Она мне и раньше об этом говорила. Да мы сразу поняли, что Эмму убили случайно, как свидетельницу другого убийства. Вот ведь не повезло, да?! Послушайте, я выпью, хорошо? Вы же за рулем, значит, мы можем начать расслабляться прямо сейчас.

Я достал свою кредитку и попросил Катю собрать сумку с закусками и гуляшом.

— Паприкаш? Вы имеете в виду паприкаш? — Катя явно хотела, чтобы я запомнил название этого жаркого.

— Да, и положите побольше. Думаю, мы задержимся там до утра.

— Хорошо. Может, еще грибочки, селедку?

— На ваше усмотрение.

— Карточку я вашу не возьму, — нахмурила Катя свои аккуратные черные брови. — Речь идет об Эмме, мы же собираемся по ее делу, а вы мне деньги предлагаете! Да я сама готова заплатить вам за вашу работу! И я сделаю это, вот увидите! Просто закружилась совсем, столько дел навалилось...

Я извинился, в душе полагая, что со своей стороны я сделал все правильно.

Приехавшие через полчаса Аня с Норой буквально ворвались в кафе. Они были возбуждены, говорили громко, я же ловил на себе их восторженные взгляды и купался в лучах своей сомнительной славы.

— Девчонки, давайте накатим водочки, — предложила Катя. — Что-то меня потрясывает, а вас?

— Да мы с Норой тоже нервничаем... Так кто убийца? Где он? Его задержали?

— Да, но пока что его держат в одном доме, под замком, — сказал я. — Честно говоря, я пригласил в Луговское еще одного человека...

— Постойте, дайте-ка я угадаю! — воскликнула Катя. — Бориса? Бориса Болотова? По-моему, опасное мероприятие вы затеяли... Он же порвет этого урода на куски!

Мы собрались, уложили продукты в багажник, Катя отдала последние распоряжения Василисе, и мы поехали в Луговское.

— Но как, как вы его нашли? — донимала меня вопросами Нора в машине. — Боже мой, значит, мы не напрасно остались здесь... Может, мой вклад был скромный... Я могла бы дать больше! Тогда, может, и убийцу быстрее нашли.

— Кстати сказать, ваши деньги нам помогли... Вы не представляете себе, сколько нам пришлось поездить, поработать...

— Дмитрий, не томите, — сказала Катя. — Как вы его нашли?

— Евсеев работал с населением и узнал много интересного из жизни Зоси. Покопался в ее прошлом, выяснил, от кого она могла забеременеть... Ну что я вам буду раскрывать все тайны следствия? Наберитесь терпения, сейчас приедем, и вы сами все узнаете и увидите.

Никто не заметил бледности Людмилы, кроме меня. По ее выражению лица я догадался, что муж посвятил ее в ход операции. Да и как иначе, если ей в этом действе была отведена едва ли не главная роль. Людмила не из тех женщин, что подчиняются мужу безоговорочно, не задавая вопросов. Людмила — личность.

Евсеев был трезв как стекло. Луговское переливалось на солнце, было по-летнему тепло. В саду был накрыт стол. Людмила не стала полагаться на московские разносолы и заставила стол закусками.

Женщины тепло обнялись при встрече. Как подруги. Катя вернулась к машине, достала корзину с провизией и попросила Людмилу принести салатницы, тарелки.

— Пахнет изумительно! — воскликнула Людмила, выкладывая в глубокое блюдо еще теплый паприкаш. — Думаю, это острое блюдо. Ведь паприка — это перец!

— Это сладкий перец, — поправила ее Катя.

Наконец все расселись, Михаил разлил по рюмкам холодную водку. Людмила пустила по кругу большой кувшин с вишневым компотом.

— Ну что же, друзья, — сказал Михаил Евгеньевич, вставая и обращаясь к гостям. — Предлагаю выпить за успешное завершение нашего дела. Можете поздравить нас — убийца вашей подруги задержан!

— Нора, что с тобой?! — вдруг воскликнула Аня, едва успев подхватить потерявшую сознание Нору.

То, что происходило дальше, напоминало хорошо разыгранный дачный спектакль. Откуда ни возьмись во главе стола появилось большое плетеное кресло, в которое Михаил Евгеньевич и поместил совершенно бесчувственное тело Норы.

— Катя, ты что-нибудь понимаешь? — испуганно воскликнула Аня. У нее был вид человека, на глазах которого все окружающие люди стали превращаться в оборотней.

— Ничего я не понимаю... Дима, что с Норой?

— Она спит, — тихо ответил я. — Успокойтесь и садитесь на свои места. Вы же хотели, чтобы мы представили вам убийцу, вот и смотрите! Нора — собственной персоной! И пока я буду вам рассказывать, вы сможете видеть ее, что называется, крупным планом.

Людмила после того, как все расселись по своим местам, присела на стул рядом с мужем, и все услышали, как тяжело она вздохнула. Лицо же ее пошло от волнения красными пятнами.

В эту минуту за воротами остановилась машина, из которой вышел элегантный, одетый во все черное молодой мужчина.

— Борис! — Я поднялся, чтобы встретить его.

Подходя к столу, он покосился на обмякшее тело Норы в кресле. Пожал плечами, взглядом пытаясь спросить меня: что все это значит?

Евсеев поспешил налить ему водки.

— Что с ней? — выпив, спросил Борис. — Может, врача вызвать?

— Это сейчас нам надо будет врача вызывать... — проворчал Михаил Евгеньевич.

За столом стало очень тихо. Все смотрели на ставшую какой-то гротескной в своем черно-белом одеянии фигурку Норы. Глаза ее были закрыты, дышала она тихо и мерно.

Я встал, взял тарелку и положил себе немного гуляша. Все следили за моими движениями совершенно сбитые с толку.

— Да-да, все началось именно с паприкаша, — сказал я, демонстрируя блюдо с плавающими в густом красном соусе кусочками мяса. — Помнишь, Аня?

Она оглянулась, словно кто-то рядом мог ей подсказать ответ:

— В смысле?

— Где и когда Эмма впервые попробовала паприкаш?

— У нас, вернее, нас пригласила к себе Нора... Это было в прошлом году. И что? При чем здесь это?

— А при том, что рецепт этого гуляша Эмма записывала в доме Норы, она записывала вместе с одной женщиной, которую ты, Аня, очень хорошо знала. Это сиделка господина Лайоша, деда Норы.

— Да, Ханна. Ее зовут Ханна.

— Ханна — еврейка. Ее настоящее имя Хава Розенталь. И оказалась она в доме не случайно. Ее муж Михаэль Розенталь и сестра мужа Сара Розенталь всю свою жизнь посвятили поискам нацистских преступников. Таких людей называют еще охотниками за нацистами. Но два года тому назад они погибли в автокатастрофе, и Ханна продолжила их дело. Ей удалось сохранить все документы Розенталей, и она стала действовать по плану поисков, разработанному ее мужем. И вот следы одного из таких разыскиваемых нацистов привели в дом Норы Кобленц, куда она и устроилась сиделкой, чтобы проверить, действительно ли это тот человек, которого она искала.

— Лайош? — Аня даже привстала, глядя на меня. — Ты хочешь сказать, что их интересовал дед Норы — Лайош Золтай?

— На самом деле его зовут Георг Грин. Он был врачом в концлагерях Заксенхаузен, Бухенвальд и Маутхаузен. Он разыскивался Германией и Австрией. В 2000 году появилась информация о том, что он предположительно умер в Хорватии, но потом «воскрес» в Венгрии. Понятное дело, он за все эти годы сменил множество фамилий, последняя из них — Золтай.

Его сын, Абрахам Грин, рожденный в Америке, ненавидел своего отца, стыдился его и, будучи студентом Мичиганского университета, посвятил свою жизнь поиску нацистских преступников. Его жена Кора родила дочь, но семейная жизнь не сложилась, она бросила Абрахама, вышла замуж за фокусника, артиста цирка, с которым они исколесили весь мир, пока, наконец, не обосновались в Латвии.

— Значит, Нора — дочка Коры? — спросила Аня.

— Да, девочка несколько лет прожила в Риге, где выучила латышский и русский языки, потом, повзрослев, вышла замуж за Иоахима Кобленца, нем-

Анна Данилова

ца, офтальмолога, и переехала с ним жить в Германию. И вот там-то ее и нашел дед, сбежавший из Хорватии и к тому времени ставший практически инвалидом. Однако за все годы, что он скрывался, ему удалось сколотить приличный капитал, начало которому положили ценности, принадлежавшие богатым еврейским семьям.

Грин нашел общий язык с внучкой, которая в силу своего характера легко закрыла глаза на преступления деда. Его счета в швейцарских банках лишь укрепили их отношения. Нора развелась с Кобленцем, и они с дедом переехали в Венгрию, в курортное местечко Шиофок, где Нора купила дом и стала ухаживать за дедом, который в очередной раз сменил имя и стал называться Лайош Золтай.

По непроверенным данным, старик Грин поддерживал тесные отношения с представителями неонацистской организации на Украине и в России. В их доме в Шиофоке гостили друзья и знакомые Грина из России, в частности из Москвы.

Ханна проработала в доме Норы несколько месяцев и все это время тщательно скрывала, что больна раком. Ухаживая за стариком, она сама страдала и таяла, как свеча.

Появление в доме русской женщины, журналистки, о чем Эмма наверняка сообщила ей в беседе, решило исход дела — Ханна решила передать папку с документами на Лайоша Золтая Эмме, с тем чтобы та опубликовала этот материал, эту бомбу, в Москве.

Разговаривали Ханна с Эммой, скорее всего, на английском...

— Да, Эмма знала английский... И я сама слышала, как они разговаривали на террасе дома... — всхлипнула Аня. — И мы с Норой думали, что Ханна делится с ней кулинарными рецептами.

— Вероятно, у Ханны оставались какие-то сомнения, раз она не сразу выдала Георга Грина организациям, занимающимся поисками нацистских преступников. Быть может, просто не чувствовала в себе силы это сделать чисто физически. Или по натуре была человеком не таким решительным, как ее муж и его сестра. Но наиболее правдоподобная версия, почему она так тянула с разоблачением Грина, заключается в том, что ей не хватало кое-каких материалов. Нам точно известно, что Ханна ждала какой-то важный фотоматериал из Германии, который она должна была переслать в ближайшие дни Эмме. Нам удалось восстановить удаленную электронную переписку Ханны с Эммой, из которой следует, что уже в середине августа у Эммы должны были быть все доказательства виновности.

Я не знаю, каким образом Нора узнала об этом, возможно, оказалась случайным свидетелем их разговора, прочла переписку Ханны с Эммой, взломав почту, или же старик что-то услышал и передал внучке, а может, дом оснащен видеокамерами...

Обо всем этом мы в свое время узнаем от Норы...

Я перевел дух, Евсеев, кашлянув, встал и налил всем еще водки.

— Вероятно, сразу же после этого разговора Эмма покинула Шиофок, вернулась в Москву, где начала действовать. В ней проснулся журналист, она подумала, что сама судьба подарила ей эту встречу с Ханной, эту папку с материалами на Георга Грина. Пока Ханна в Шиофоке ждала фотоматериал, Эмма не теряла времени даром. Она стала искать переводчика и обратилась за помощью к своему другу, поэту и сценаристу Сергею Качелину, чтобы он посоветовал ей не просто хорошего переводчика, а человека, которому можно доверять, который умеет держать язык за зубами. Качелин посоветовал ей обратиться к Ренату Хазырову. Эта история затянулась, поскольку Хазыров не сразу согласился встретиться с ней. Но когда папка с документами на немецком языке оказалась в его руках и он понял, каким материалом располагает Эмма, то начал отговаривать ее заниматься этим. Сказал, что это опасно. И что семья Грина, в частности его внучка, наверняка в курсе того, кем был ее дед, а это значит, что она может быть опасна.

Я разговаривал с Ренатом Бикбулатовичем вчера, и он мне рассказал, насколько недооценивала Эмма Нору. Она говорила о ней как об исключительно милом человеке. Эмма считала, что внучка не должна отвечать за проступки, грехи своего деда. И даже если она что-то знает, то наверняка стыдится этого. Словом, Эмма отнеслась к этой истории исключительно легкомысленно, в том смысле, что, работая над статьей, меньше всего думала о последствиях для себя. И уж никак не предполагала, что: первое — Нора каким-то образом узнает о готовящейся статье о Грине; второе — Нора сделает все возможное и невозможное, чтобы не допустить выхода этой статьи, которая может разрушить всю ее жизнь! Ее спокойная жизнь закончится, как только придут за Грином. Его осудят, посадят в тюрьму, а на всей семье будет позорное клеймо.

Эмма... К сожалению, мы никогда не узнаем, что двигало ею, когда она согласилась принять у себя Нору, пожелавшую приехать в Москву, чтобы развеяться, как та сказала, после стресса, связанного с разрывом с любимым человеком. Тем более Эмма в августе должна была получить фотоматериал на Грина.

— Да тут же все понятно! — не выдержала Катя. — Эмма в то время была сама влюблена, чувства ее были обострены, и она, как никто другой, понимала страдания Норы.

— А что это за фотографии? И как они могли появиться у Ханны?

— Человек, который пообещал их ей, он из Польши, неожиданно скончался, ему было почти сто лет, и внук этого старика дожидался приезда других наследников, чтобы получить доступ в банковскую ячейку, где хранились фотографии.

— Катя, Аня, Эмма никогда не говорила ни с кем из вас об этой папке, о Лайоше, то есть Грине? — спросил Евсеев.

— Нет, — ответили Катя и Аня одновременно.

Борис Болотов сидел, поставив локоть на стол и прикрыв глаза ладонью.

— Она мне говорила... Но не о Норе, конечно. А о том, что пишет статью-бомбу. Что в ее руки попал уникальный материал...

Он поднял голову, взгляд у него был потухший, веки припухли от слез.

— Но я не придал этому значения. Я не почувствовал опасности.

— Думаю, она просто хотела произвести на вас впечатление, — сказала Катя. — Она вас очень любила. Безусловно, ей нравилось заниматься кафе, но иногда она словно стыдилась этого, считала это дело легким, несерьезным по сравнению с журналистикой. Вот почему она рассказала вам о своих журналистских опытах...

— Впечатление... — вздохнул Болотов. — Да она как только вошла ко мне, так одной своей улыбкой произвела впечатление... А я просто идиот. Мне надо было сразу насторожиться, когда она только произнесла слово «бомба»...

— Дмитрий, получается, что Нора прилетела в Москву, чтобы убить Эмму? И забрать папку? — спросила Аня.

— Да. Но когда же она это сделала? Ведь она всегда была на виду! — сказала Катя. — У меня мозг скоро взорвется, отказываясь воспринимать то, что происходит. Сначала смерть Эммы. Теперь вот — Нора... Получается, что она была там, в Панкратово, ночью?

— Мы с Евгеньевичем проделали большую работу, задействовали немалое количество людей, чтобы представить себе, что же произошло третьего августа. Вот тебя, Катя, не удивило, что Эмма не встретила Нору?

— Конечно, нас это удивило! — ответила за нее и за себя Аня. — Это не похоже на ответственную Эмму! И с какой стати она поехала договариваться с Зосей о Норе? Да никто никогда с ней предварительно не договаривался, потому что Зося всегда на месте, всегда всех примет! Больше того, Эмма осталась там ночевать, что уж вообще не поддается объяснению, разве что она приболела...

— Вот и я отталкивался от этого. Поэтому и предположил, что Эмма все-таки была в аэропорту.

— В аэропорту? Как это?

— Так. Поехала, как и договаривались, встречать Нору из Будапешта. Возможно, Нора переоделась, зная, что повсюду в аэропорту и вокруг него, в том числе и на автостоянке, где она должна была встретиться с Эммой, имеется видеонаблюдение. Она вообще могла переодеться мужчиной, спокойно выйти в положенный час из аэропорта, по дороге снять парик, кофту там, куртку, на ходу возвращая себе нормальный вид, сесть в машину к Эмме и отправиться вместе с ней в Панкратово. Ведь у нас, подтверди Евгеньевич, имеются свидетельские показания людей, которые видели, как машина Эммы въезжала в лес, люди слышали, как дважды хлопнули двери, то есть из машины вышло два человека — Эмма и Нора.

Предполагаю, что, оказавшись уже в доме, Нора каким-то образом отвлекла Эмму, возможно, попросила ее вернуться в машину за какой-нибудь вещью, да мало ли... Не думаю, что она отвлекла Зосю, это маловероятно, учитывая, что она приехала все же к ней... Но это уже детали.

Ей важно было остаться наедине с одной из женщин, поскольку Зося, свидетельница, была обречена с самого начала.

Убив одну женщину найденным на кухне ножом, Нора позже убивает и вторую.

С Эммы она снимает одежду, оставляя ее в майке и белых носках, и укладывает в постель, как будто бы Эмма осталась ночевать у Зоси. Одежду ее, кстати говоря, мы так и не нашли. Вероятно, Нора ее уничтожила.

Тело хозяйки остается на полу.

Затем Нора забирает ключи из сумки Эммы, выбегает из дома и садится в другую машину, которая ожидает ее с другой стороны леса.

— В другую? Но кто же там, в машине?

— Наберитесь терпения... Но то, что ее там ждали, это точно. Мы нашли это место и множество окурков. Сейчас эти окурки переданы в лабораторию, где проверяются на ДНК. Но я и без этого знаю, кому они принадлежат.

Борис Болотов словно проснулся, очнулся и теперь сидел, выпрямив спину, на стуле, бледный, с жадностью меня слушая. И, безусловно, представляя себе хронику событий, как и все собравшиеся за столом, включая и уставшую суетиться Людмилу.

— Таким образом, убив двух женщин, Нора возвращается в аэропорт, и уже там, прекрасно зная, что ее алиби будет проверяться, «знакомится» с одной женщиной с ребенком, ожидающей регистрации в Рим, с которой проводит за разговорами почти три часа!

Вы спросите меня, как мы нашли эту женщину? Проследили за ее перемещением при помощи имеющихся в аэропорту записей видеонаблюдения. Ее заметили у стойки, где проходила регистрация пассажиров, следующих в Рим. Кроме этой маленькой девочки, на борту самолета не было зарегистрировано ни одного ребенка.

— Постойте! Но в чем фишка? — спросила Катя. — И при чем здесь эта женщина?

— Да при том, что когда мы ее нашли, а она вернулась из Рима уже на следующий день, что тоже, согласитесь, подозрительно, она подтвердила алиби Норы, начиная с трех часов дня, то есть с момента прибытия Норы из Будапешта. Понимаете?

С трех часов! Словно она никуда из аэропорта и не отлучалась.

— Не поняла... Но камеры видеонаблюдения...

— Это был не простой свидетель. Ей куплены билеты в Рим, и ребенок при ней был для пущей убедительности. Алиби в случае с Норой — гарантия безопасности, понимаете?

— Но если она вернулась из Рима на следующий день, то как она сама объяснила такое быстрое свое возвращение?

— Она сказала, что почувствовала себя плохо и решила вернуться. Вычислив ее из списка пассажиров самолета, следующего в Рим, и узнав ее фамилию — Шапошникова Лариса Васильевна, мы пробили ее адрес, и мой помощник встретился с ней спустя три дня после убийства Эммы. Если бы я подозревал Нору с самого начала, то нашел бы свидетельницу уже на следующий день, поскольку она ждала нашего появления и была готова отвечать на вопросы, связанные с алиби Норы.

— А если бы у Зоси в доме были еще посетители, люди, которые пришли к ней погадать? — задал Борис Болотов правильный вопрос. — Тогда эта тварь не убила бы Эмму?

— Я вообще полагаю, что убийство было задумано не в доме Зоси, а в лесу. Но что-то пошло не так, может, в лесу было много грибников, да еще пастух этот...

— Значит, их убили приблизительно в четыре часа дня, ведь до Панкратово от аэропорта час езды, — заметил Борис. — Но вы сами говорили, что убийство было совершено ночью.

— Подождите... — осипшим от волнения голосом сказала Людмила, с брезгливостью и паникой глядя на крепко спящую Нору, походившую на тряпичную куклу, забытую в большом кресле. — А что, если эта Нора не спит? Что, если она сейчас придет в себя и сбежит?

— Как вы усыпили ее? — спросила Аня.

— Стакан с компотом, — ответил Евсеев. Он сидел мрачный и много пил. Жена то и дело подкладывала ему закуску со словами: «Ты ешь, Миша, нельзя же так». — Она проспит часа три.

— Но как она могла так быстро уснуть?

— Новое, быстродействующее снотворное, — объяснил я.

Между тем Евсеев продолжал:

— Дело в том, что Татьяна, та женщина, которая той ночью убила своего мужа-алкоголика и потом, прибежав в дом Зоси, обнаружила трупы, ясно слышала, как в доме молились. Она решила, что это Зося молится на своем, польском языке.

— И кто же там молился?

— Постой, Аня, давай послушаем, что было дальше, — сказала Катя. — Значит, после того как Нора убила, она вернулась в аэропорт и там делала вид, что нервничает по поводу того, что ее не встретили. Так? И эта женщина, Шапошникова, помогала ей в этом.

— Да. После этого, как бы не дождавшись, Нора берет такси и едет к Эмме в кафе. Вроде бы ищет ее.

— Вот гадина! — не выдержала Аня. — Мне снова снится кошмарный сон... Господи, да когда же он закончится? Когда я наконец проснусь?!

— Вы остановились на том, что Нора взяла ключи из сумки Эммы. И что? Зачем ей ключи? Чтобы найти дома эту папку с документами?

— Да, она показалась в кафе, все поняли, что Эмма ее не встретила, после чего Нора едет в гостиницу. Но на самом деле она все на том же такси или просто пешком добирается до квартиры Эммы и ищет папку. Но ищет она очень аккуратно, в перчатках. Ее задача представить убийство таким образом, будто убийца собирался убить не Эмму, а Зосю. А потому она должна была оставить квартиру Эммы в полном порядке.

И когда она не находит эту папку, то понимает, что Эмма могла хранить ее в своем сейфе в кафе. А ключей от кабинета и сейфа у нее нет, значит, они остались в сумке Эммы. Каким бы монстром ни была Нора, конечно же, она нервничала, совершив два убийства, и очень спешила. Поэтому, увидев в сумке ключи, схватила их, и все! Да у нее тогда вообще могло крышу снести!

Я перевел дух, сделал небольшую паузу, после чего продолжил:

— К тому же, возможно, там, в доме Зоси, она могла что-то обронить. Или же ей приходит в голову мысль ввести следствие в заблуждение, прогрев комнаты, в которых находились трупы, чтобы время смерти было не в четыре-пять часов дня, а в полночь. Я сейчас говорю о мотивах, которые заставили ее вернуться ночью в Панкратово. Иначе зачем бы она возвращалась в Панкратово и включала обогреватели?

— Но как вы узнали об этом?

— Во-первых, я сразу заметил, когда только прибыл на место преступления, что там очень жарко и душно. Во-вторых, если вы помните, когда мы все в прошлый раз были здесь, в Луговском, Нора настаивала на своей поездке в Панкратово. Была глубокая ночь, темно, но она решила, что должна лично осмотреть место преступления, чтобы попытаться найти там какую-нибудь улику.

— Да, она рассказывала, — вздохнула Катя. — Но ведь ничего же не нашла!

— А лепесток? С твоей сережки? — напомнил ей я.

— А разве это она нашла? Я думала — ты...

— Нет, это Нора нашла. Она знала, догадывалась, что я слежу за ней, а потому сделала вид, что нашла этот лепесток на полу, как будто он застрял в бахроме половика, а на самом деле, я полагаю, она сняла с тебя, Катя, сережку, когда ты уже спала здесь, в этом доме, ведь вы с Аней перебрали... Сняла сережку, раздавила ее ногой, предположим, взяла обломок с собой в Панкратово, чтобы превратить ее на моих глазах в улику.

Если бы она показала мне ее, вот, мол, Дима, вам и улика, то было бы все слишком просто, понимаете? И тогда я бы сам мог заподозрить ее в подбрасывании улики — уж слишком сильно было ее желание попасть в этот дом, пусть и ночью.

Она же сделала вид, что ничего не нашла. И даже утром, когда, помнишь, Катя, Людмила принесла из дома твою сломанную сережку и когда Нора уж точно бы поняла, кому принадлежит этот обломок, она не выдала свою подругу. Чем ввела меня снова в заблуждение.

— Ты собирался меня арестовать! — воскликнула обиженным тоном Катя.

— Нора умело отвлекала мое внимание от своей персоны. Ей было выгодно, когда следствие двигалось в направлении Зоси, что это ее хотели убить. Или же — в сторону Кати, которая стала наследницей Эммы.

— Все-таки странно все это... — заметила Аня. — Нора включает обогреватели в доме, когда приезжает туда ночью, чтобы запутать следствие... а алиби у нее на это время имеется?

— Алиби... — сказал я. — В том-то и дело, что алиби на это время у нее как раз имеется! Она заказала ночную экскурсию по Москве! И в гостинице подтвердили, что приблизительно в двадцать три часа третьего августа Нора Кобленц спустилась вниз, где ее ждал водитель экскурсионного автомобиля, с которым она и уехала. Вернулась госпожа Кобленц под утро и поднялась в свой номер.

— Вы нашли этого водителя? — спросил Борис.

— Нашли. Да его и искать-то не надо было — пока он дожидался Нору, он разговорился с девушкой на ресепшен и дал ей несколько своих визиток, договорившись, что поделится с ней, в случае если она будет посылать ему туристов. Обычное дело!

— Получается, что этот экскурсовод-водитель — настоящий?

— Настоящий, но ему наверняка заплатили, чтобы он подтвердил, что катал Нору по ночной Москве, в то время как другой водитель (которого мы пока не нашли, но который играл роль таксиста и дожидался ее в лесу и курил, помните?) отвез ее уже во второй раз, ночью, в Панкратово.

Словом, мы подозреваем, что этот человек и есть один из тех московских друзей Грина, которые оказывали помощь Норе во время ее пребывания в Москве. Лариса Шапошникова — это его работа.

— И все-таки, зачем она туда вернулась? — пожала плечами Катя. — Она же сильно рисковала. Неужели только за ключами?

— Почему-то убийц всегда тянет на место преступления, — сказал Евсеев. — Сколько раз я уже с этим сталкивался. Хотят замести следы, может, не заметили чего, когда бежали сразу после совершенного убийства... Но я тоже думаю, что она приезжала за ключами... А помнишь, Дима, эта записка про

Анна Данилова

ведьму, которую мы нашли в печке? Может, тоже ее работа?

— Слово «Ведьма», кстати говоря, написано без мягкого знака...

— Да вы посмотрите, сколько на ней серебра! — сказала Людмила, продолжая размышлять. — Она же ходит — звенит браслетами! Может, что и обронила... Или пуговица оторвалась, или еще что... Думаю, она просто сильно нервничала.

— А может, она вернулась, чтобы поджечь дом? — высказала предположение Аня. — И не сделала этого из-за шума, который устроила своим приходом Татьяна. Ведь это же Нора молилась там, внутри дома, когда Татьяна пришла ночью. Татьяна сказала, что молились на польском...

— На немецком, — заметил я.

— Как вы узнали?

— Немецкий является ее родным языком. Именно на немецком она разговаривала в туалете аэропорта, где ее увидела и услышала находящаяся там, в одной из кабинок, женщина, являющаяся в нашем деле главной свидетельницей.

Женщина, ее зовут Лиля Лялина, в свое время была у Зоси, и поэтому, услышав странный разговор иностранки, в котором прозвучало название деревни — Панкратово, связала его с убийством Левандовской.

— Но кому она звонила?

— Уверен, что деду. Девяностовосьмилетнему старику. Сообщила, вернее, доложила о проделанной работе, что «полька и русская улетели» и что она, Нора, остается в Москве, чтобы поработать. Другими словами, чтобы помешать нам. Ну и чтобы оставаться в курсе расследования.

Эта милая женщина, знающая язык и хорошо рисующая, набросала портрет, точнее шарж, этой иностранки. Вот, взгляните сами.

И я показал им рисунок Лили.

— Действительно, Нора могла вернуться туда, чтобы поджечь дом, но когда там появилась Татьяна, она испугалась, вылезла через окно и убежала. Села в машину, которая ждала ее за лесом, и вернулась в Москву, в гостиницу.

— А что с Ханной? — спросила Аня. — Что это за история с инфекцией?

— Я предполагаю, что Ханна в доме Грина давно уже не работает, но Нора продолжала создавать видимость того, что Ханна в доме, чтобы ты не задавала лишних вопросов. Она же могла предположить, что Эмма поделилась с тобой тем, что знает о ее семье. Вот и осторожничала. Да она и встречалась-то с тобой последнее время исключительно для того, чтобы подготовиться к поездке в Москву, к Эмме. И поскольку ты своим отношением к ней никак не показала свою информированность и она убедилась, что ты не в курсе того, что задумали Ханна с Эммой, она с твоей же помощью и придумала повод встретиться с Эммой — съездить, к примеру, в Панкратово, к гадалке, о которой ты ей в свое время рассказывала.

Анна Данилова

Что же касается Ханны... Как часто ты, Аня, видела ее, бывая в гостях у своих соседей?

— Да очень редко. Она же ухаживала за Лайошем, вернее, Грином... Она всегда знала свое место, и Нора никогда не приглашала ее за стол...

— Вот и я об этом. В лучшем случае Ханна живет где-то в Шиофоке, снимает квартиру или дом, а может, в больнице, проходит курс химиотерапии. Или же ее нет в живых... Последнее, к сожалению, наиболее вероятно.

— А кто подхватил вирус-то?

— Другая сиделка. Заболела, позвонила Норе и сообщила, что не может больше работать. Нора позвонила своим друзьям и попросила помочь, найти другую сиделку... Видимо, еще просто не нашли, и сами присматривают за стариком. Здесь-то как раз все ясно.

— И зачем только эта Ханна обратилась к нашей Эмме?! — воскликнула Аня. — Выдала бы властям преступника, и дело с концом! Втянула Эмму в эту опасную историю...

Я посмотрел на Аню:

— Вероятно, все дело в этих фотографиях. И теперь от тебя, Анечка, зависит, получим мы те фотодокументы, которых так и не дождалась Эмма, или нет. Есть надежда, что фотографии где-то в доме Норы. Позвони своему мужу, пусть он попытается проникнуть в дом Грина и поискать документы в комнате Ханны.

— Хорошо, я позвоню ему и все расскажу.

— Все рассказывать как раз и не надо. Мы с тобой потом поговорим, обсудим все детали этого дела. Не нужно, чтобы твой муж был раньше времени посвящен в историю своего соседа.

— Уверена, что Мики сделает все как надо. К тому же мы знаем друзей Норы, проживающих в Шиофоке. Думаю, ему будет нетрудно проникнуть в комнату Ханны.

Рассказывая эту историю, я вспоминал, как долго блуждал, словно в темноте, теряясь в густом лесу мотивов.

Линия Эммы:

Скользкий тип, потенциальный преступник (или убийца своего деда) — Вадим Караваев.

Марина Болотова — ревнивая супруга так и не состоявшегося любовника Эммы.

Мальчик-паж Саша, которому Марина могла бы поручить убить Китаеву.

Катя — наследница Эммы.

Валентина и ее муж — долги, кредиты.

Линия Зоси:

Обманутые «клиенты», «пациенты».

Любовник, от которого она зачала ребенка.

Просто бандиты.

Люди из ее прошлого.

А вот Аня и Нора были всегда вне подозрений.

Людмила принесла холодной водки и соленых огурцов.

— Давайте, уносите ее отсюда... — сказала она решительно, кивая на спящую Нору. — Положим ее спать во времянке и запрем ее. Замок там крепкий, не сбежит. А завтра утром отвезете ее в Москву. Миша, где наручники? Ее, эту змею, без наручников оставлять нельзя. Вам бы еще поскорее вычислить этого таксиста, и тогда вообще дело было бы закончено.

Она по-хозяйски, звонко хлопнула в ладоши, стряхивая невидимый сор.

— Не знаю, как вы, а я этот гуляш есть не буду... Вот честно, кусок в горло не полезет... Может, борщ разогреть?

Мы с Евсеевым определили Нору во времянку, заперли ее, вернулись за стол. Аня плакала на плече у Кати.

Люда же, искренне радуясь тому, что дело завершено, убийца будет наказан, а ее Мишу повысят, очень быстро пришла в себя и принялась с особым рвением ухаживать за гостями.

Когда стемнело, мы все еще сидели за столом, вспоминали Эмму, Аня рассказывала о Норе, о своей жизни в Шиофоке, об Имре Кальмане, о Балатоне... Людмила затянула свою любимую песню «Напилася я пьяна...»

Борис рано ушел спать, Людмила постелила ему в доме.

Мы все надеялись, что Миклошу Тоту повезет, и он обязательно найдет в комнате Ханны фотографии, сделанные в концлагере, где проводил свои опыты Георг Грин.

Что найдется «таксист», сообщник Норы, помогавший ей в ее кровавом и обреченном на провал деле.

Что Нору осудят и дадут ей пожизненное заключение.

Что с помощью Рената Хазырова мы найдем лучшего журналиста, которому поручим опубликовать статью о нацистском преступнике, скрывавшемся долгие годы.

Что Валентина, сестра Эммы, разведется наконец со своим мужем-альфонсом и заживет самостоятельной, полной смысла и материнского счастья жизнью.

Что Ира не разочарует свою сестру Зою и, окунувшись с головой в работу, забудет своего Вадима и что раны ее душевные зарастут и, быть может, она еще встретит свою любовь.

Что Татьяне за убийство мужа — алкоголика и тирана — дадут условный срок. И она выйдет из зала суда, где ее встретит сестра, и они вместе будут воспитывать маленького Ванечку.

Что «Усадьба Сухово» благодаря таланту и труду Бориса Болотова и усердию Кати Мертвой возродится к жизни, давая возможность людям достойно прожить свою старость.

Что кафе «Эмма» превратится в популярный, славящийся своей кухней и обслуживанием ресторан, в меню которого, быть может, останется паприкаш. А может, и нет...

Я отправился спать, когда легкий туман над Луговским зарумянился розовыми рассветными красками...

Содержание

Литературно-художественное издание
CRIME & PRIVATE

Данилова Анна Васильевна
ВЕДЬМА С ЗЕЛЕНЫМИ ГЛАЗАМИ

Ответственный редактор *О. Завалий*
Редактор *Т. Другова*
Художественный редактор *В. Щербаков*
Технический редактор *И. Гришина*
Компьютерная верстка *Г. Ражикова*
Корректор *В. Кочкина*

ООО «Издательство «Эксмо»
123308, Москва, ул. Зорге, д. 1. Тел. 8 (495) 411-68-86, 8 (495) 956-39-21.
Home page: **www.eksmo.ru** E-mail: **info@eksmo.ru**

Өндіруші: «ЭКСМО» АҚБ Баспасы, 123308, Мәскеу, Ресей, Зорге көшесі, 1 үй.
Тел. 8 (495) 411-68-86, 8 (495) 956-39-21.
Home page: www.eksmo.ru E-mail: info@eksmo.ru.
Тауар белгісі: «Эксмо»
Қазақстан Республикасында дистрибьютор және өнім бойынша
арыз-талаптарды қабылдаушының
өкілі «РДЦ-Алматы» ЖШС, Алматы қ., Домбровский көш., 3«а», литер Б, офис 1.
Тел.: 8 (727) 2 51 59 89,90,91,92, факс: 8 (727) 251 58 12 вн. 107; E-mail: RDC-Almaty@eksmo.kz
Өнімнің жарамдылық мерзімі шектелмеген.
Сертификация туралы ақпарат сайтта: www.eksmo.ru/certification

Сведения о подтверждении соответствия издания согласно
законодательству РФ о техническом регулировании можно получить
по адресу: http://eksmo.ru/certification/

Өндірген мемлекет: Ресей
Сертификация қарастырылмаған

Подписано в печать 25.12.2014. Формат 84×108 1/32.
Гарнитура «Ньютон». Печать офсетная. Усл. печ. л. 16,8.
Тираж 3000 экз. Заказ № А-3508.

Отпечатано в типографии филиала
ОАО «ТАТМЕДИА» «ПИК «Идел-Пресс».
420066, г. Казань, ул. Декабристов, 2.

ISBN 978-5-699-78300-7

2012-036

СЕРИЯ ДЛЯ ЛИТЕРАТУРНЫХ ГУРМАНОВ

АРТЕФАКТ & ДЕТЕКТИВ

Артефакт & Детектив – это серия для читателей с тонким вкусом. Загадки истории, роковые предметы искусства, блестящая современная интрига на фоне изысканных декораций старины. Сюжет основан на поисках древнего артефакта. Артефакт – вне времени, и кто знает, утихнут ли страсти по нему в новом столетии?!

Наталья СОЛНЦЕВА
Звезда Вавилона

Михаил ПАЛЕВ
Серебряный ятаган пирата

Наталья АЛЕКСАНДРОВА
Завещание алхимика

www.eksmo.ru

В ГЛАВНЫХ РОЛЯХ –
БЕСЦЕННЫЕ ПРЕДМЕТЫ ИСКУССТВА!